A-Z MILTON KEYNES

CONTENTS

Key to Map Pages	2-3	Index to Hospitals	
Map Pages	4-28	Milton Keynes Road Map	48

REFERENCE

Motorway	M1	Car Park Selected	P
A Road	A509	Park & Ride	P+
B Road	B4034	Church or Chapel	†
Dual Carriageway		Cycle Route	
One-Way Street	→	Fire Station	■
Traffic flow on A Roads is indicated by a heavy line on the driver's left.		Hospital	H
Road Identification Numbers	H1	House Numbers A & B Roads only	38 22
Horizontal Roads :H1 Vertical Roads :V1		Information Centre	i
Junction Names	BANKFIELD	National Grid Reference	490
Restricted Access		Police Station	▲
Pedestrianized Road		Post Office	★
Track		Toilet	▽
Footpath		with facilities for the Disabled	⛨
Residential Walkway		Educational Establishment	
Local Authority Boundary		Hospital or Hospice	
Postcode Boundary		Industrial Building	
Railway		Leisure or Recreational Facility	
		Place of Interest	
		Public Building	
Built-Up Area	HIGH STREET	Shopping Centre or Market	
Map Continuation	14	Other Selected Buildings	

Railway: Station, Tunnel, Level Crossing, Heritage Station

Scale 1:19,000

0 — ¼ — ½ Mile — ¾ Mile

0 — 250 — 500 — 750 Metres — 1 Kilometre

3⅓ inches (8.47 cm) to 1 mile
5.26 cm to 1 kilometre

Copyright of Geographers' A-Z Map Company Limited

Head Office:
Fairfield Road, Borough Green, Sevenoaks, Kent TN15 8PP
Tel: 01732 781000 (General Enquiries & Trade Sales)

Showrooms:
44 Gray's Inn Road, London WC1X 8HX
Tel: 020 7440 9500 (Retail Sales)
www.a-zmaps.co.uk

 Ordnance Survey®

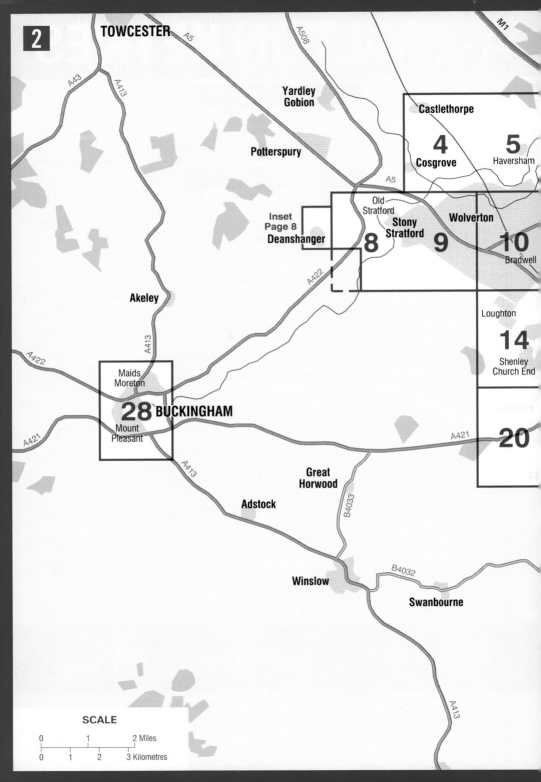

2

TOWCESTER

Yardley Gobion

Castlethorpe

4 Cosgrove

5 Haversham

Potterspury

Old Stratford

Wolverton

Inset Page 8 Deanshanger

8

Stony Stratford

9

10 Bradwell

Akeley

Loughton

14 Shenley Church End

Maids Moreton

28 BUCKINGHAM

Mount Pleasant

20

Great Horwood

Adstock

Winslow

Swanbourne

SCALE

0   1   2 Miles

0   1   2   3 Kilometres

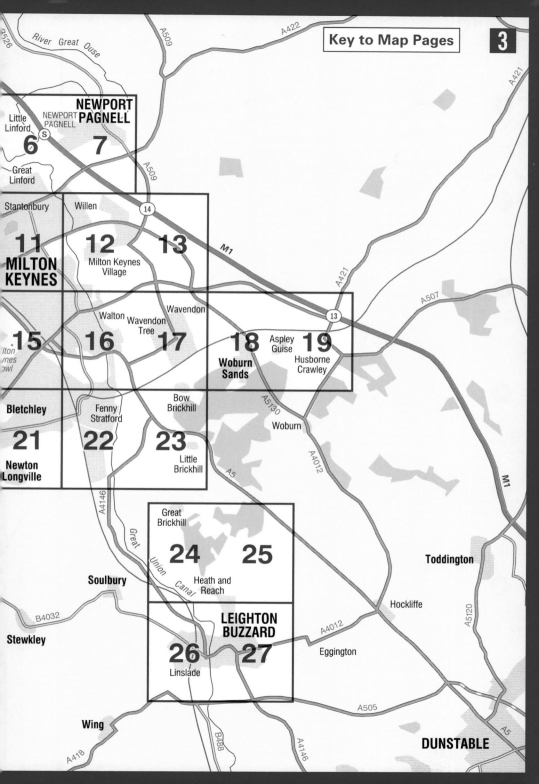

River Great Ouse

NEWPORT PAGNELL

NEWPORT PAGNELL

Little Linford

6 S

7

Great Linford

Stantonbury

Willen

14

11

MILTON KEYNES

12

Milton Keynes Village

13

M1

15

Ilton nes owl

Walton

16

Wavendon Tree

Wavendon

17

18

Woburn Sands

Aspley Guise

Husborne Crawley

19

13

Bletchley

Fenny Stratford

Bow Brickhill

21

22

23

Newton Longville

Little Brickhill

A5

Woburn

Great Union Canal

Great Brickhill

24

25

Soulbury

Heath and Reach

Hockliffe

Toddington

Stewkley

B4032

LEIGHTON BUZZARD

26

27

Eggington

Linslade

Wing

DUNSTABLE

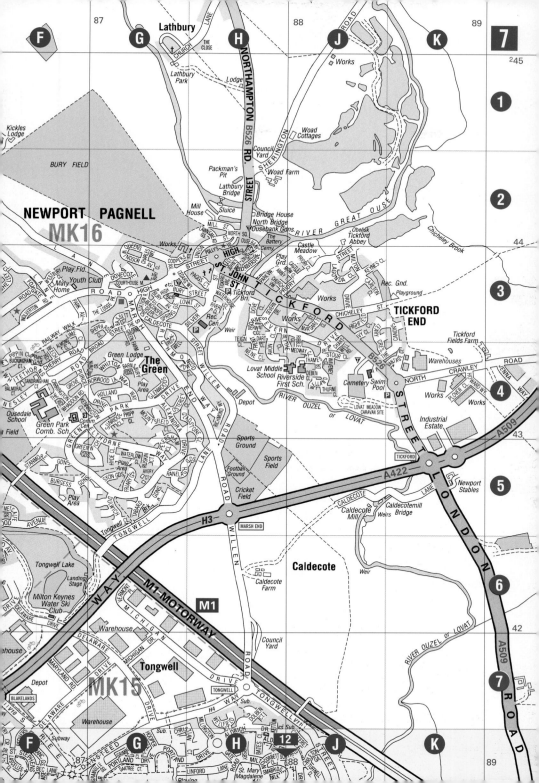

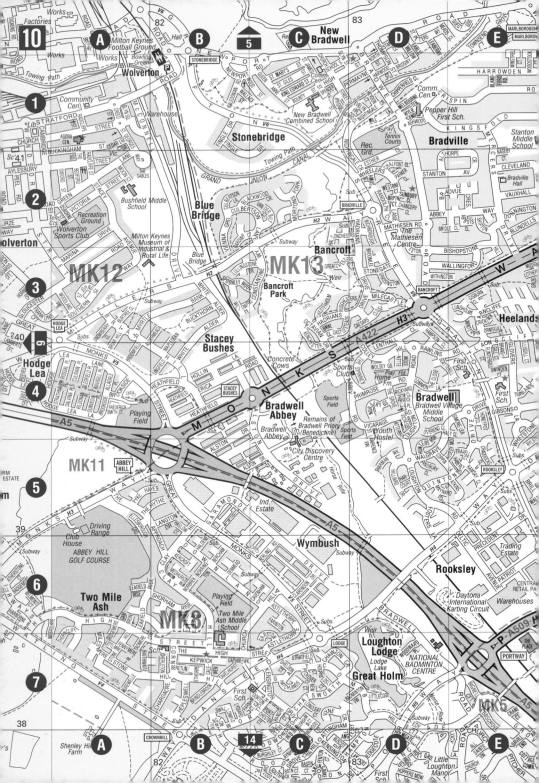

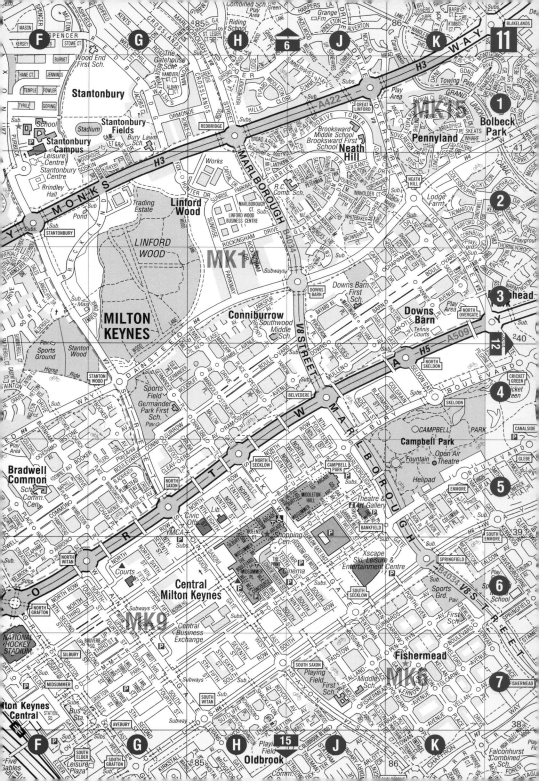

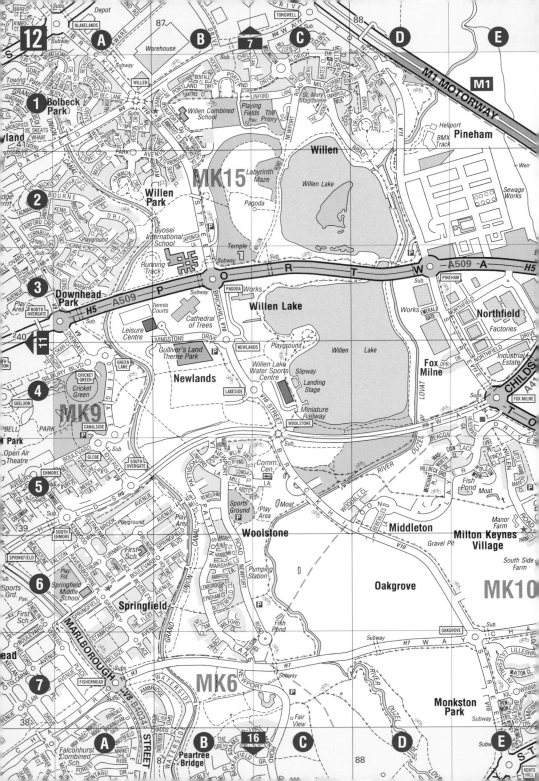

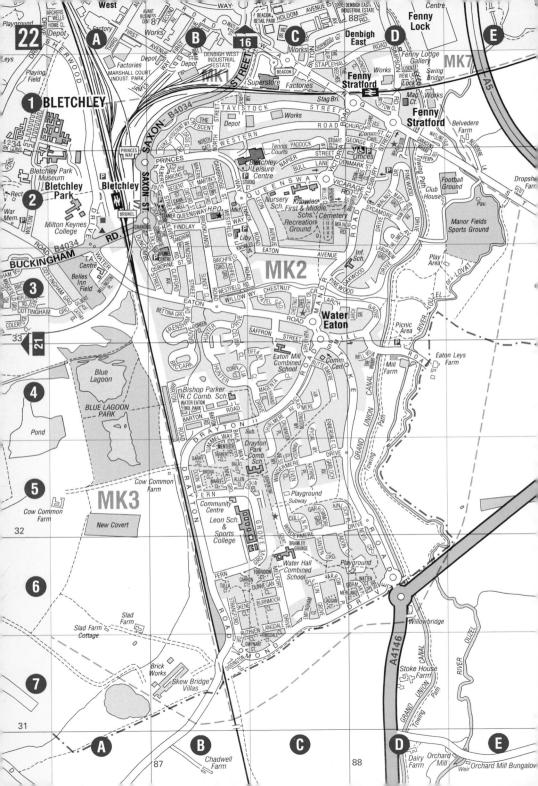

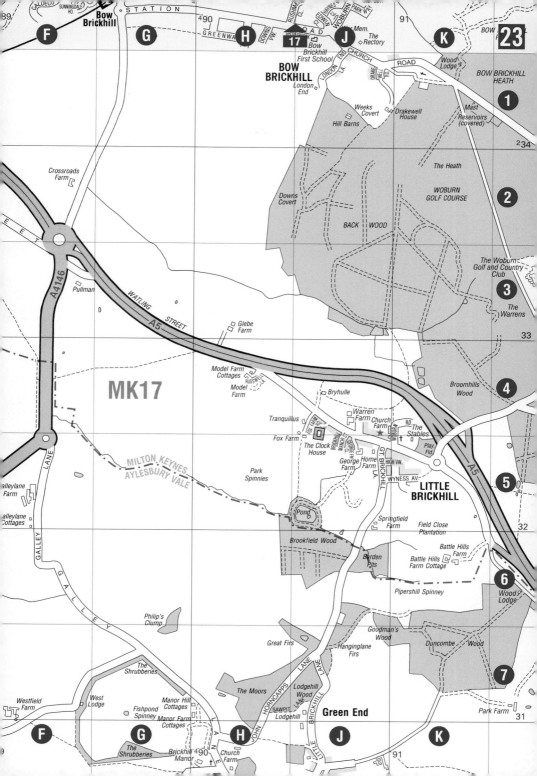

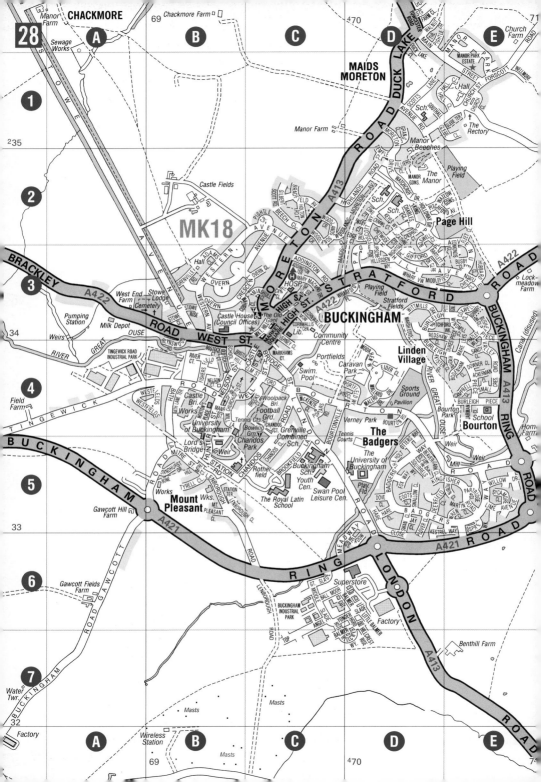

INDEX

Including Streets, Places & Areas, Hospitals & Hospices, Stations, Industrial Estates,
Selected Flats & Walkways, Junction Names and Selected Places of Interest.

HOW TO USE THIS INDEX

1. Each street name is followed by its Posttown or Postal Locality and then by its map reference; e.g. Abbey Way. *Brad* . . . .2D **10** is in the Bradville Postal Locality and is to be found in square 2D on page **10**. The page number being shown in bold type.

2. A strict alphabetical order is followed in which Av., Rd., St., etc. (though abbreviated) are read in full and as part of the street name; e.g. Apple Tree Clo. appears after Appleton M. but before Appleyard Pl.

3. Streets and a selection of flats and walkways too small to be shown on the maps, appear in the index in *Italics* with the thoroughfare to which it is connected shown in brackets; e.g. *Alexandra Ct. Bdwl* . . . . 4D **10** *(off Vicarage Rd.)*

4. Places and areas are shown in the index in **BLUE TYPE** and the map reference is to the actual map square in which the town centre or area is located and not to the place name shown on the map; e.g. **ASHLAND. . . . 4B 16**

5. An example of a selected place of interest is **Bletchley Pk. Mus.** 2K **21**

6. An example of a hospital or hospice is **BLETCHLEY COMMUNITY HOSPITAL.** 1K **21**

7. Junction names are shown in the index in **bold type**; e.g. **Abbey Hill Roundabout (Junct.)** 5A **10**

8. An example of a station is **ASPLEY GUISE STATION.** . . . 3E **18**

GENERAL ABBREVIATIONS

All : Alley
App : Approach
Arc : Arcade
Av : Avenue
Bk : Back
Boulevd : Boulevard
Bri : Bridge
B'way : Broadway
Bldgs : Buildings
Bus : Business
Cvn : Caravan
Cen : Centre
Chu : Church
Chyd : Churchyard
Circ : Circle
Cir : Circus
Clo : Close
Comn : Common
Cotts : Cottages
Ct : Court
Cres : Crescent
Cft : Croft
Dri : Drive
E : East
Embkmt : Embankment

Est : Estate
Fld : Field
Gdns : Gardens
Gth : Garth
Ga : Gate
Gt : Great
Grn : Green
Gro : Grove
Ho : House
Ind : Industrial
Info : Information
Junct : Junction
La : Lane
Lit : Little
Lwr : Lower
Mc : Mac
Mnr : Manor
Mans : Mansions
Mkt : Market
Mdw : Meadow
M : Mews
Mt : Mount
Mus : Museum
N : North
Pal : Palace

Pde : Parade
Pk : Park
Pas : Passage
Pl : Place
Quad : Quadrant
Res : Residential
Ri : Rise
Rd : Road
Shop : Shopping
S : South
Sq : Square
Sta : Station
St : Street
Ter : Terrace
Trad : Trading
Up : Upper
Va : Vale
Vw : View
Vs : Villas
Vis : Visitors
Wlk : Walk
W : West
Yd : Yard

POSTTOWN AND POSTAL LOCALITY ABBREVIATIONS

A'lnd : Ashland
Asp G : Aspley Guise
Ban : Bancroft
Ban P : Bancroft Park
B'hll : Beanhill
Blak : Blakelands
Ble H : Bleak Hall
Ble : Bletchley
Blu B : Blue Bridge
Bol P : Bolbeck Park
Bow B : Bow Brickhill
Brad : Bradville
Bdwl : Bradwell
Bdwl A : Bradwell Abbey
Bdwl C : Bradwell Common
Brin : Brinklow
Brog : Brogborough
B'ton : Broughton (Milton Keynes)
Brou : Broughton (Newport Pagnell)
Brow W : Browns Wood
Buck : Buckingham
C'cte : Caldecotte
Clvtn : Calverton
Cam P : Campbell Park
Cast : Castlethorpe
Cof H : Coffee Hall

Conn : Conniburrow
Cosg : Cosgrove
Crow : Crownhill
Dean : Deanshanger
Dow P : Downhead Park
Dow B : Downs Barn
Eag : Eaglestone
Eag W : Eaglestone West
Em V : Emerson Valley
Fish : Fishermead
Ful S : Fullers Slade
Furz : Furzton
Gif P : Giffard Park
Gt Bri : Great Brickhill
Gt Hm : Great Holm
Gt Lin : Great Linford
Grnly : Greenleys
Hans : Hanslope
Hav : Haversham
H&R : Heath and Reach
Hee : Heelands
Hod L : Hodge Lea
Hul : Hulcote
Hus C : Husborne Crawley
Int P : Interchange Park
Ken H : Kents Hill

Kil F : Kiln Farm
Kgsmd : Kingsmead
Kgstn : Kingston
Know : Knowlhill
Lath : Lathbury
Lead : Leadenhall
Lee : Lee, The
L Buz : Leighton Buzzard
Lin W : Linford Wood
L Bri : Little Brickhill
Loug : Loughton
Maid M : Maids Moreton
Med : Medbourne
Mdltn : Middleton
Mil K : Milton Keynes
Mil V : Milton Keynes Village
Monk : Monkston
Nea H : Neath Hill
Neth : Netherfield
New B : New Bradwell
N'lnds : Newlands
Newp P : Newport Pagnell
Newt L : Newton Longville
N'fld : Northfield
Oldb : Oldbrook
Old F : Old Farm Park

Posttown and Postal Locality Abbreviations

Old S : Old Stratford
Old Wo : Old Wolverton
Pear B : Peartree Bridge
Pen : Pennyland
Redm : Redmoor
Ridg : Ridgmont
Rook : Rooksley
Shen B : Shenley Brook End
Shen C : Shenley Church End
Shen L : Shenley Lodge
Shen W : Shenley Wood
Simp : Simpson
Spfld : Springfield
Sta B : Stacey Bushes
Stant : Stantonbury
Stant F : Stantonbury Fields
S'bri : Stonebridge
Sto S : Stony Stratford
Tat : Tattenhoe
Tilb : Tilbrook
Tin B : Tinkers Bridge
Tong : Tongwell
Two M : Two Mile Ash
Twy : Twyford
Wal T : Walnut Tree
Wltn : Walton
Wltn P : Walton Park
Wav : Wavendon
Wav G : Wavendon Gate
Wcrft : Westcroft
Whad : Whaddon
Wil : Willen
W'len L : Willen Lake
Wil P : Willen Park
Wint : Winterhill
Wbrn : Woburn
Wbrn S : Woburn Sands
Wol : Wolverton
Wol M : Wolverton Mill
Wool : Woolstone
Woug G : Woughton on the Green
Woug P : Woughton Park
Wym : Wymbush

A

Abbeydore Gro. *Monk* 7E **12**
Abbey Hill Roundabout (Junct.) 5A 10
Abbey Rd. *Bdwl* 4D **10**
Abbey Rd. *Simp* 4D **16**
Abbey Ter. *Newp P* 3H **7**
Abbey Wlk. *H&R* 6F **25**
Abbey Way. *Brad* 2D **10**
Abbotsbury. *Wcrft* 7B **14**
Abbots Clo. *Brad* 2E **10**
Abbotsfield. *Eag* 1A **16**
Aberdeen Clo. *Ble* 7J **15**
Abraham Clo. *Wil P* 2B **12**
Acacia Clo. *L Buz* 5K **27**
Ackerman Clo. *Buck* 4E **28**
Ackroyd Pl. *Shen L* 4E **14**
Acorn Ho. *Mil K* 6G **11**
Acorn Wlk. *Mil K* 6H **11**
Adams Bottom. *L Buz* 2F **27**
Adams Clo. *Buck* 3B **28**
Adams Ct. *Woug G* 1B **16**
Adastral Av. *L Buz* 5J **27**
Addington Rd. *Buck* 3C **28**
Addington Ter. *Buck* 3C **28**
Adelphi St. *Cam P* 4J **11**
Agora Cen. *Wol* 1A **10**
Ainsdale Clo. *Ble* 1G **21**
Aintree Clo. *Ble* 4F **21**
Akerman Clo. *Grnly* 3J **9**
Akister Clo. *Buck* 4D **28**
Albany Ct. *Stant* 1G **11**
Albany Rd. *L Buz* 4G **27**
Albert St. *Ble* 2B **22**
Albion Pl. *Cam P* 5K **11**
Albury Ct. *Gt Hm* 7C **10**
Aldenham. *Tin B* 4C **16**
Aldergill. *Hee* 3F **11**
Aldermead. *Sta B* 3B **10**
Alderney Pl. *Shen B* 5C **14**
Aldrich Dri. *Wil* 1C **12**
(in two parts)
Aldwycks Clo. *Shen C* 3C **14**
Alexandra Ct. Bdwl 4D 10
(off Vicarage Rd.)
Alexandra Ct. *L Buz* 3E **26**
Alexandra Dri. *Newp P* 4G **7**
Alladale Pl. *Hod L* 4A **10**
Allen Clo. *Ble* 5B **22**
Allerford Ct. *Furz* 5F **15**
Allington Circ. *Kgsmd* 1B **20**
Allison Ct. *Wool* 7B **12**
All Saints Vw. *Loug* 1E **14**
Almond Clo. *Newp P* 4F **7**
Almond Rd. *L Buz* 3H **27**
Alpine Cft. *Shen B* 6D **14**
Alston Dri. *Bdwl A* 4C **10**
Alstonefield. *Em V* 6E **14**
Althorpe Cres. *Brad* 2D **10**
Alton Ga. *Wcrft* 7C **14**
Alverton. *Gt Lin* 7D **6**
Alwins Fld. *L Buz* 3C **26**
Ambergate. *Brou* 4G **13**
Amberley Wlk. *Kgsmd* 1B **20**
Ambridge Gro. *Pear B* 7A **12**
Ambrose Ct. *Wool* 6B **12**
Amelas La. *Cam P* 5K **11**
Amherst Ct. *Wil* 1B **12**
Amos Ct. *Brad* 2D **10**
Ampleforth. *Monk* 7F **13**
Ancell Rd. *Sto S* 3F **9**
Ancell Trust Sports Ground. 2E 8
Ancona Gdns. *Shen B* 6C **14**
Anderson Ga. *Tat* 3D **20**
Andrewes Cft. *Gt Lin* 7D **6**
(in two parts)
Angel Clo. *Pen* 1K **11**
Angelica Ct. *Wal T* 4F **17**
Anglesey Ct. *Gt Hm* 1C **14**
Angstrom Clo. *Shen L* 4E **14**
Angus Dri. *Ble* 6J **15**
Annes Gro. *Gt Lin* 6B **6**
Annesley Rd. *Newp P* 4F **7**
Anson Rd. *Wol* 1K **9**
Anthony Ct. *Sto S* 3E **8**
Appenine Way. *L Buz* 3J **27**
Appleby Heath. *Ble* 4C **22**
Applecroft. *Newt L* 6G **21**
Appleton M. *Em V* 6E **14**
Apple Tree Clo. *L Buz* 5C **26**
Appleyard Pl. *Oldb* 7H **11**
Approach, The. *Two M* 5A **10**
Aquila Rd. *L Buz* 3J **27**
Arbroath Clo. *Ble* 6H **15**
Arbrook Av. *Bdwl C* 6F **11**
Archers Wells. *Ble* 7A **16**
Archford Cft. *Em V* 6F **15**
Ardley M. *Mdltn* 5G **13**
Ardwell La. *Grnly* 3H **9**
Ardys Ct. *Loug* 1E **14**
Aries Ct. *L Buz* 3H **27**
Arlington Ct. *Furz* 6H **15**
Arlott Cres. *Oldb* 1J **15**
Armourer Dri. *Nea H* 2J **11**
Armstrong Clo. *Crow* 3B **14**
Arncliffe Dri. *Hee* 3E **10**
(in two parts)
Arne La. *Old F* 4J **17**
Arrow Pl. *Ble* 6C **22**
Arundel Gro. *Ble* 2H **21**
Ascot Dri. *L Buz* 5C **26**
Ascot M. *L Buz* 5C **26**
Ascot Pl. *Ble* 3G **21**
Ashburnham Clo. *Ble* 1G **21**
Ashburnham Cres. *L Buz* 5D **26**
Ashby. *Eag* 1K **15**
Ashdown Clo. *Gif P* 7E **6**
Ashfield. *Stant* 7A **6**
Ashfield Gro. *Ble* 3B **22**
Ashford Cres. *Crow* 3A **14**
Ash Gro. *L Buz* 3F **27**
Ash Hill Rd. *Newp P* 3F **7**
ASHLAND. 4B 16
Ashland Roundabout (Junct.) 5B 16
Ashlong Clo. *L Buz* 4H **27**
Ashpole Furlong. *Loug* 2D **14**
Ashridge Clo. *Ble* 3G **21**
Ashwell St. *L Buz* 3F **27**
Ashwood. *Brad* 1D **10**
Asplands Clo. *Wbrn S* 5C **18**
Aspley Ct. *Wbrn S* 6D **18**
ASPLEY GUISE. 4F 19
ASPLEY GUISE STATION. 3E 18
ASPLEY HEATH. 7B 18
Aspley Hill. *Wbrn S* 5D **18**
Aspley La. *Wbrn* 7F **19**
Astlethorpe. *Two M* 6C **10**
Aston Clo. *Shen L* 4E **14**
Atherstone Ct. *Two M* 6K **9**
Atkins Clo. *Bdwl* 5E **10**
Atterbrook. *Bdwl* 4D **10**
ATTERBURY. 4F 13
Atterbury Av. *L Buz* 3G **27**
Attingham Hill. *Gt Hm* 1C **14**
Atwell Clo. *Crow* 2B **14**
Auckland Pk. *Ble* 6C **16**
Auden Clo. *Newp P* 2E **6**
Audley Mead. *Bdwl* 5E **10**
Augustus Rd. *Sto S* 4E **8**
Austwick La. *Em V* 7E **14**
Avant Bus. Cen. *Ble* 7B **16**
Avebury Boulevd. *Mil K* 1F **15**
Avebury Roundabout (Junct.) 7G 11
Avenue Rd. *Maid M* 1D **28**
Avenue, The. *Asp G* 4F **19**
Avery Ct. *Newp P* 5G **7**
Avington. *Gt Hm* 7B **10**
Avon Clo. *Newp P* 4H **7**
Avon Gro. *Ble* 2H **21**
Avon Wlk. *L Buz* 7G **25**
Aylesbury St. *Ble* 2D **22**
Aylesbury St. *Wol* 2K **9**
Aylesbury St. W. *Wol* 2J **9**
Aynho Ct. *Gt Hm* 1C **14**
Ayr Way. *Ble* 7H **15**

B

Babbington Clo. *Mdltn* 5F **13**
Baccara Gro. *Ble* 4B **22**
Backleys. *C'ctte* 7F **17**
Badgemore Ct. *Two M* 6K **9**
Badgers Oak. *Ken H* 2G **17**
Badgers Ri. *Ridg* 1K **19**
BADGERS, THE. 5D 28
Badgers Way. *Buck* 5D **28**
Badminton Vw. *Gt Hm* 7D **10**
Baily Ct. *Shen C* 4D **14**
Baker St. *L Buz* 4F **27**
Bakers Wood Clo. *H&R* 4F **25**
Bala Clo. *Ble* 5B **22**
Bala Way. *Ble* 4B **22**
Baldwin Cres. *Newp P* 4G **7**
Balfe M. *Old F* 5J **17**
Ball Moor. *Buck* 6C **28**
Balmer Bri. *Buck* 7C **28**
Balmer Cut. *Buck* 6D **28**
Balmerino Clo. *Monk* 6G **13**
Balmoral Ct. *Newp P* 4F **7**
Balsam Clo. *Wal T* 3G **17**
Bampton Clo. *Furz* 7H **15**
Banburies Clo. *Ble* 7K **15**
BANCROFT. 3D 10
BANCROFT PARK. 3C 10
Bancroft Roundabout (Junct.) 3D 10
Bankfield Roundabout (Junct.) 5J 11
Banktop Pl. *Em V* 6F **15**
Bantock Clo. *Brow W* 4H **17**
Barbers M. *Nea H* 2J **11**

Barbury Ct. *Gif P* 7E 6
Bardsey Ct. *Monk* 6F 13
Barford. *Sto S* 4G 9
Barkers Cft. *Grnly* 3K 9
Barkestone Clo. *Em V* 1F 21
Barleycorn Clo. *L Buz* 4J 27
Barleycroft. *Furz* 5H 15
Barnabas Rd. *L Buz* 5C 26
Barnes Pl. *Oldb* 1H 15
Barnfield Dri. *Neth* 4B 16
Barnsbury Gdns. *Newp P* 4G 7
Barnsdale Dri. *Wcrft* 7C 14
Barnstaple Ct. *Furz* 6G 15
Barn Theatre. 6C 6
Barons Clo. *Ble* 2B 22
Barrett Pl. *Shen C* 3C 14
Barrington M. Oldb 7H 11
(off Shackleton Pl.)
Barrow Path. *L Buz* 3F 27
Barry Av. *Brad* 1F 11
Bartholomew Clo. *Wltn P* 4F 17
Bartlett Pl. *Buck* 3D 28
Barton Rd. *Ble* 4B 22
Bascote. *Tin B* 4C 16
Basildon Ct. *Gt Hm* 1C 14
Basildon Ct. *L Buz* 4E 26
Baskerfield Gro. *Woug G* 1B 16
Bassett Ct. *L Buz* 4E 26
Bassett Ct. *Newp P* 3G 7
Bassett Rd. *L Buz* 4E 26
Bateman Cft. *Shen C* 3C 14
Bates Clo. *Wil* 1C 12
Bath La. *Buck* 4B 28
Bath La. Ter. *Buck* 4B 28
Baxter Clo. *Crow* 2B 14
Bayard Av. *Dow B* 3J 11
(in two parts)
Baynham Mead. *Ken H* 1G 17
Bay Tree Clo. *Newt L* 6G 21
Beacon Ct. *Furz* 7G 15
Beacon Retail Pk. *Ble* 7C 16
Beacon Roundabout (Junct.) 1C 22
Beaconsfield Pl. *Newp P* 3G 7
Beadlemead. *Neth* 3B 16
Beales La. *Wltn P* 4F 17
Beanfare. *B'hll* 5A 16
(in two parts)
BEANHILL. 4A 16
Beauchamp Clo. *Nea H* 1H 11
Beaudesert. *L Buz* 4F 27
Beaufort Dri. *Wil* 1B 12
Beaumaris Gro. *Shen C* 3D 14
Beaverbrook Ct. *Ble* 1J 21
Beaver Clo. *Buck* 5D 28
Beckinsale Gro. *Crow* 2B 14
Bec La. *Bol P* 1A 12
Beddoes Cft. *Med* 5B 14
Bedford Rd. *Asp G & Hus C* 5F 19
Bedford St. *Ble* 2B 22
Bedford St. *L Buz* 4F 27
Bedford St. *Wol* 2A 10
Bedgebury Pl. *Ken H* 1F 17
Beech Clo. *Buck* 2C 28
Beechcroft Rd. *Ble* 4H 21
Beeches, The. *Ble* 1C 22
Beeches, The. *Dean* 7B 8
Beechfern. *Wal T* 4F 17
Beech Gro. *L Buz* 4D 26
Beech Rd. *Newp P* 4F 7
Beech Tree Clo. *Hav* 5F 5
Beethoven Clo. *Old F* 5K 17
Beeward Clo. *Grnly* 3H 9
Bekonscot Ct. *Gif P* 6D 6
Bell All. *L Buz* 4F 27
Bellini Clo. *Old F* 4J 17
Bellis Gro. *Woug G* 1B 16
Bells Mdw. *Wil P* 1A 12
Bellway. *Wbrn S* 3A 18
Bellwether. *Ful S* 4H 9
Belmont Ct. *Two M* 6K 9
Belsize Av. *Spfld* 7A 12
Belvedere La. *L Bri* 1E 22
Belvedere Roundabout (Junct.) 4J 11
Belvoir Av. *Em V* 1F 21
Benacre Ri. *Tat* 2D 20
Benbow Ct. *Shen C* 2D 14
Bennet Clo. *Sto S* 4E 8
Bens Clo. *Cast* 2B 4
Bentall Clo. *Wil* 1B 12
Benwell Clo. *Ban* 3C 10
Berberis Clo. *Wal T* 4F 17
Bercham. *Two M* 6B 10
Beresford Clo. *Em V* 6F 15
Beretun. *Two M* 7B 10
Berevilles La. *Mdltn* 5D 12
Bergamot Gdns. *Wal T* 4G 17
Berington Gro. *Wcrft* 7B 14
Berkshire Grn. *Shen B* 6C 14
Berling Rd. *Wym* 6C 10
Bernay Gdns. *Bol P* 1A 12
(in two parts)
Bernstein Clo. *Brow W* 5H 17
Berry La. *Asp G* 4F 19
Berrystead. *C'ctte* 6G 17
Berry Way. *Newt L* 6F 21
Bertram Clo. *New B* 7K 5
Berwald Clo. *Brow W* 5J 17
Berwick Dri. *Ble* 7J 15
Bessemer Ct. *Blak* 6E 6
Bettina Gro. *Ble* 3B 22
Betty's Clo. *Newt L* 7F 21
Beverley Pl. *Spfld* 6A 12
Bewdley Dri. *L Buz* 4B 26
Bewdley Gro. *Brou* 4F 13
Bickleigh Cres. *Furz* 6F 15
Bideford Ct. *L Buz* 3B 26
Bideford Grn. *L Buz* 3B 26
Bignell Cft. *Loug* 7E 10
Bilbrook La. *Furz* 5F 15
Billington Ct. *L Buz* 5G 27
Billington Rd. *L Buz* 5G 27
Billingwell Pl. *Spfld* 6A 12
Bilsworth. *Tin B* 4C 16
Bilton Rd. *Ble* 1C 22
Bingham Clo. *Em V* 1F 21
Birchen Lee. *Em V* 7F 15
Birchfield Gro. *Ble* 3B 22
Birdlip La. *Ken H* 2G 17
Bird's Hill. *H&R* 5F 25
Birkdale Clo. *Ble* 3G 21
Bishop Clo. *L Buz* 5J 27
Bishopstone. *Brad* 3E 10
Bishops Wlk. *Wbrn S* 6C 18
Blackberry Ct. *Wal T* 3G 17
Blackdown. *Ful S* 4G 9
Blackham Ct. *Oldb* 2H 15
Blackheath Cres. *Bdwl C* 5G 11
Blackhill Dri. *Wol M* 2H 9
Blackmoor Ga. *Furz* 7G 15
Blackthorn Gro. *Wbrn S* 5B 18
Blackwell Pl. *Shen B* 5D 14
Blackwood Cres. *Blu B* 2B 10
Blairmont St. *Cam P* 4J 11
Blakedown Rd. *L Buz* 4B 26
BLAKELANDS. 5E 6
Blakelands Roundabout (Junct.) 7F 7
Blakeney Ct. *Tat* 2E 20
Blanchland Circ. *Monk* 7F 13
Blandford Rd. *Brad* 1E 10
Blatherwick Ct. *Shen C* 2C 14
Blaydon Clo. *Ble* 4G 21
BLEAK HALL. 4K 15
Bleak Hall Roundabout (Junct.) 4K 15
Bleasdale. *Hee* 3F 11
Blenheim Av. *Sto S* 4F 9
Bletcham Roundabout (Junct.) 6D 16
Bletcham Way. (H10). *Ble & C'ctte* 7A 16
Bletcham Way. (H10). *C'ctte* 6E 16
BLETCHLEY. 2B 22
BLETCHLEY STATION. 2A 22
BLETCHLEY COMMUNITY HOSPITAL. 1K 21
Bletchley Leisure Cen. 2C 22
BLETCHLEY PARK. 2A 22
Bletchley Pk. Mus. 2K 21
Bletchley Rd. *Newt L* 6G 21
Bletchley Rd. *Shen B* 5E 14
Blind Pond Ind. Est. *Bow B* 7J 17
Bliss Ct. *Brow W* 5H 17
Bluebell Cft. *Wal T* 3G 17
BLUE BRIDGE. 2B 10
Blue Lagoon Pk. 4A 22
Blundells Rd. *Brad* 2E 10
Blyth Ct. *Tat* 2D 20
Blythe Clo. *Newp P* 3H 7
B.M.X. Track. 1D 12
Bodenham Clo. *Buck* 4E 28
Bodiam Clo. *Shen C* 4D 14
Bodle Clo. *Pen* 1K 11
Bodnant Ct. *Wcrft* 7C 14
Bolan Ct. *Crow* 3B 14
BOLBECK PARK. 1A 12
Bolton Clo. *Ble* 7K 15
Boltwood Gro. *Med* 4B 14
Bond Av. *Ble* 6C 16
(in three parts)
Bone Hill. *Buck* 5B 28
Bonnards Rd. *Newt L* 6G 21
Booker Av. *Bdwl C* 5F 11
Borodin Ct. *Old F* 4J 17
(in two parts)
Borough Wlk. Mil K 5H 11
(off Silbury Boulevd.)
Bossard Cen. *L Buz* 4E 26
Bossard Ct. *L Buz* 4F 27
Bossiney Pl. *Fish* 7J 11
Bossington Clo. *L Buz* 3E 26
Bossington La. *L Buz* 4D 26
Bostock Ct. *Buck* 4B 28
Boswell Ct. *Buck* 2D 28
Boswell La. *Dean* 7B 8
Bosworth Clo. *Ble* 7H 15
Bottesford Clo. *Em V* 1G 21
Bottle Dump Roundabout (Junct.) 4B 20
Boulevard, The. *Mil K* 6H 11
Boulters Lock. *Gif P* 5D 6
Boundary Cres. *Sto S* 2F 9
Boundary, The. *Oldb* 1J 15
Bounds Cft. *Grnly* 4J 9
Bounty St. *New B* 1C 10
BOURTON. 4E 28
Bourton Low. *Wal T* 4G 17
Bourton Rd. *Buck* 4C 28
Bourtonville. *Buck* 5C 28
Bouverie Sq. *Mil K* 7G 11
BOW BRICKHILL. 7J 17
BOW BRICKHILL STATION. 7G 17
Bow Brickhill Pk. 7A 18
Bow Brickhill Rd. *Bow B* 6K 17
Bowen Clo. *Brow W* 5H 17
Bowes Clo. *Newp P* 4G 7
Bowland Dri. *Em V* 1E 20
Bowles Pl. *Woug G* 2C 16
Bowling Leys. *Mdltn* 6F 13
Bowl Roundabout, The (Junct.) 4G 15
BOWL, THE. 4G 15
Bowood Ct. *Gt Hm* 7C 10
Bowyers M. *Nea H* 2J 11
Boxberry Gdns. *Wal T* 3F 17
Boxgrove Ct. *Monk* 7E 12
Boyce Cres. *Old F* 4J 17
Boycott Av. *Oldb* 7H 11
Brackley Rd. *Buck* 3A 28
Bradbourne Dri. *Tilb* 5H 17
Bradbury Clo. *Bdwl* 5D 10
Bradfield Av. *Buck* 2C 28
Bradley Gro. *Em V* 7E 14
BRADVILLE. 2D 10
Bradville Roundabout (Junct.) 2D 10
Bradvue Cres. *Brad* 2D 10
BRADWELL. 4D 10
BRADWELL ABBEY. 4C 10
BRADWELL COMMON. 5F 11
Bradwell Comn. Boulevd. *Bdwl C* 6F 11
Bradwell Rd. *Gt Hm & Loug* 6D 10
Bradwell Rd. *Loug* 2D 14
Bradwell Rd. *Brad* 1D 10
Bradwell Sports & Leisure Club. 4D 10
Braford Gdns. *Shen B* 5E 14
BRAGENHAM. 4B 24
Bragenham La. *L Buz* 4B 24
Brahms Clo. *Old F* 4H 17
Bramber Clo. *Ble* 3H 21

Bramble Av. *Conn* 4H **11**
Bramble Clo. *L Buz* 5H **27**
Bramley Grange. *Ble* 6C **22**
Bramley Meadows. *Newp P* 4F **7**
Bramley Rd. *Ble* 6B **16**
Brampton Clo. *Brad* 2D **10**
Bransgill Ct. *Hee* 4E **10**
Bransworth Av. *Brin* 1H **17**
Brantham Clo. *C'cttte* 6F **17**
Braunston. *Woug P* 3C **16**
Braybrooke Dri. *Furz* 6H **15**
Brayton Ct. *Shen L* 3F **15**
Breamore Ct. *Gt Hm* 7C **16**
Brearley Av. *Oldb* 2H **15**
Breckland. *Lin W* 3F **11**
Bremen Gro. *Shen B* 5D **14**
Brendon Ct. *Furz* 7G **15**
Brent. *Tin B* 4C **16**
Bretby Chase. *Wcrft* 6C **14**
Breton. *Sto S* 2F **9**
Briar Hill. *Sta B* 3A **10**
Brices Mdw. *Shen B* 6D **14**
Brick Clo. *Kil F* 6K **9**
Brickhill Mnr. Ct. *L Bri* 5J **23**
Brickhill Rd. *H&R* 3F **25**
Brickhill St. (V10). *Gif P & W'len L* ...5D **6**
Brickhill St. (V10). *Ken H & C'ctte* ...1E **16**
Brickhill St. (V10). *Wil P & Wool* ...3B **12**
Bridgeford Ct. *Oldb* 1H **15**
Bridge Rd. *Cosg* 5A **4**
Bridge St. *L Buz* 5E **26**
Bridge St. *New B* 1C **10**
Bridge St. *Buck* 4C **28**
Bridgeturn Av. *Old Wo* 7F **5**
Bridgeway. *New B* 1D **10**
Bridgnorth Dri. *Kgsmd* 1B **20**
Bridle Clo. *Brad* 2D **10**
Bridlington Cres. *Monk* 7E **12**
Brill Pl. *Bdwl C* 5E **10**
Brindlebrook. *Two M* 7B **10**
BRINKLOW. 1G **17**
Brinklow Roundabout (Junct.) ...7G **13**
Bristle Hill. *Buck* 4B **28**
Bristow Clo. *Ble* 1D **22**
Britten Gro. *Old F* 4J **17**
Broad Arrow Clo. *Nea H* 1H **11**
Broad Dean. *Eag* 1K **15**
Broadlands. *Neth* 3A **16**
Broadpiece. *Pen* 1K **11**
Broad Rush Grn. *L Buz* 3D **26**
Broad St. *Newp P* 4G **7**
Broadwater. *Tin B* 3C **16**
Broadway Av. *Gif P* 5D **6**
Brockhampton. *Dow P* 2A **12**
Brockwell. *Newp P* 4G **7**
Bromham Mill. *Gif P* 5D **6**
Brooke Clo. *Ble* 3J **21**
Brookfield La. *Buck* 5C **28**
Brookfield Rd. *Hav* 5F **5**
Brookfield Rd. *Newt L* 7G **21**
BROOK FURLONG. 2F **13**
Brooklands Av. *L Buz* 5G **27**
Brooklands Dri. *L Buz* 5G **27**
Brooklands Rd. *Ble* 2B **22**
Brooks Ct. *Buck* 4C **28**
Brookside. *Hod L* 4A **10**
Brookside Clo. *Old S* 2C **8**
Brookside Wlk. *L Buz* 4H **27**
Brook St. *L Buz* 4H **27**
Brook Way. *Dean* 7A **8**
Broomfield. *Sta B* 4A **10**
Broomhills Rd. *L Buz* 2F **27**
Broomlee. *Ban* 3D **10**
Brora Clo. *Ble* 5B **22**
Brough Clo. *Shen C* 4D **14**
BROUGHTON. 5G **13**
Broughton Mnr. Bus. Pk. *Brou* 4G **13**
Broughton Rd. *Mil V* 5F **13**
Brownbaker Ct. *Nea H* 2J **11**
Browne Willis Clo. *Ble* 2C **22**
Browning Clo. *Newp P* 3E **6**
Browning Cres. *Ble* 3K **21**
Brownslea. *L Buz* 4H **27**
Browns Way. *Asp G* 4E **18**

BROWNS WOOD. 5J **17**
Browns Wood Roundabout (Junct.) 4H **17**
Broxbourne Clo. *Gif P* 5D **6**
Bruckner Gdns. *Old F* 4J **17**
Brudenell Dri. *Brin* 1G **17**
Brunel Cen. *Ble* 2B **22**
(off Albert St.)
Brunel Cen. *Ble* 3B **22**
(Osborne St.)
Brunel Roundabout (Junct.) 2A **22**
Brunleys. *Kil F* 5J **9**
Brushford Clo. *Furz* 6G **15**
Bryony Pl. *Conn* 3H **11**
Buckby. *Tin B* 3C **16**
Buckfast Av. *Ble* 7J **15**
(in two parts)
BUCKINGHAM. 3C **28**
BUCKINGHAM COMMUNITY HOSPITAL.
....3C **28**
Buckingham Ct. *Newp P* 4F **7**
Buckingham Ga. *Eag* 7A **12**
Buckingham Ind. Pk. *Buck* 6C **28**
Buckingham Ring Rd. *Buck* 3E **28**
Buckingham Rd. *Ble* 4E **20**
Buckingham Rd. *Buck* 7A **28**
Buckingham St. *Wol* 1A **10**
Buckland Dri. *Neth* 3A **16**
Buckley Ct. *Sto S* 4G **9**
Buckthorn. *Sta B* 3B **10**
Bullington End Rd. *Cast* 1C **4**
Bull La. *Ble* 2C **22**
Bulmer Clo. *Brou* 5G **13**
Bunkers La. *L Buz* 5C **26**
Bunsty Ct. *Sto S* 4G **9**
Burano Gro. *Wav G* 3H **17**
Burchard Cres. *Shen C* 2D **14**
Burdeleys La. *Shen B* 5D **14**
Burdock Ct. *Newp P* 3D **6**
Burewelle. *Two M* 7A **10**
Burgess Gdns. *Newp P* 5F **7**
Burghley Ct. *Gt Hm* 1C **14**
Burholme. *Em V* 6F **15**
Burleigh Ct. *Buck* 4E **28**
(off Burleigh Piece)
Burleigh Piece. *Buck* 3D **28**
Burners La. *Kil F* 5J **9**
Burners La. S. *Kil F* 5J **9**
Burnet. *Stant* 1F **11**
Burnham Dri. *Bdwl C* 4F **11**
Burnmoor Clo. *Ble* 6C **22**
Burns Clo. *Newp P* 3E **6**
Burns Rd. *Ble* 3K **21**
Burrows Clo. *Wbrn S* 4C **18**
(in two parts)
Burtree Clo. *Sta B* 3A **10**
Bury Av. *Newp P* 3G **7**
Bury Clo. *Newp P* 3G **7**
Bury St. *Newp P* 3G **7**
Busby Clo. *Buck* 3E **28**
Buscot Pl. *Gt Hm* 1C **14**
Bushey Bartrams. *Shen B* 6D **14**
Bushey Clo. *Buck* 3E **28**
Bushy Clo. *Ble* 6K **15**
Butcher La. *Wcrft & Shen B* 7C **14**
Bute Brae. *Ble* 7H **15**
Butlers Gro. *Gt Lin* 7B **6**
Butterfield Clo. *Wool* 6B **12**
Buttermere Clo. *Ble* 4C **22**
Button Gro. *Cof H* 2K **15**
Buzzacott La. *Furz* 6F **15**
Byerly Pl. *Dow B* 3J **11**
Byford Way. *L Buz* 6J **27**
Byrd Cres. *Old F* 3J **17**
Byron Clo. *Ble* 3J **21**
Byron Dri. *Newp P* 3E **6**
Byward Clo. *Nea H* 1H **11**

C

Cadeby Ct. *Mdltn* 5G **13**
Cadman Sq. *Shen L* 4F **15**
Caernarvon Cres. *Ble* 3G **21**

Caesars Clo. *Ban* 3D **10**
Cairngorm Ga. *Wint* 2G **15**
Caithness Ct. *Ble* 6H **15**
Calamus Ct. *Wal T* 3G **17**
CALDECOTE. 5J **7**
Caldecote La. *Newp P* 5J **7**
Caldecote St. *Newp P* 3G **7**
CALDECOTTE. 6F **17**
Caldecotte Lake Dri. *C'ctte* 7F **17**
Caldecotte La. *C'cttte* 6F **17**
Caldecotte Roundabout (Junct.) 6E **16**
Calder Gdns. *L Buz* 4A **26**
Calder Va. 1H **21**
Caldewell. *Two M* 7A **10**
Caledonian Rd. *New B* 1B **10**
Calewen. *Two M* 7B **10**
Calluna Dri. *Ble* 6K **15**
Calvards Cft. *Grnly* 4K **9**
Calverleigh Cres. *Furz* 6G **15**
CALVERTON. 5E **8**
CALVERTON END. 4F **9**
Calverton La. *Clvtn* 7H **9**
Calverton La. Roundabout (Junct.) 6K **9**
Calverton Rd. *Sto S* 3E **8**
Calves Clo. *Shen B* 6D **14**
Camber Clo. *Ble* 3H **21**
Camberton Rd. *L Buz* 5D **26**
Cambridge St. *Ble* 2B **22**
Cambridge St. *Wol* 1K **9**
Cambron. *Two M* 6A **10**
Cam Ct. *Ble* 2H **21**
Camlet Gro. *Stant F* 1G **11**
Camomile Ct. *Wal T* 4G **17**
Campania Clo. *Mdltn* 6F **13**
Campbell Clo. *Buck* 4E **28**
CAMPBELL PARK. 5K **11**
Campbell Pk. 4K **11**
Campbell Pk. Roundabout (Junct.) 5J **11**
Campion. *Gt Lin* 5C **6**
Canalside. *Old S* 1D **8**
Canalside Roundabout (Junct.) 4A **12**
Candlewicks. *Wal T* 3G **17**
Candy La. *Shen B* 5E **14**
Canon Harnett Ct. *Wol M* 2G **9**
Canons Rd. *Old Wo* 1K **9**
Canons, The. *Newp P* 4J **7**
Cantell Clo. *Buck* 3C **28**
Cantle Av. *Dow B* 3K **11**
Capel Dri. *Dow B* 3J **11**
Capian Wlk. *Two M* 7B **10**
Capital Dri. *Lin W* 2H **11**
Capron. *B'hll* 4K **15**
Capshill Av. *L Buz* 4H **27**
Caraway Clo. *Wal T* 5G **17**
Cardigan Clo. *Ble* 1J **21**
Cardwell Clo. *Em V* 7F **15**
Carhampton Ct. *Furz* 6G **15**
Carina Dri. *L Buz* 4H **27**
Carisbrooke Ct. *Buck* 2D **28**
Carisbrooke Way. *Kgsmd* 1B **20**
Carleton Ga. *Wil* 1D **12**
Carlina Pl. *Conn* 5G **11**
Carlton Clo. *Newp P* 3J **7**
Carlton Gro. *L Buz* 7F **25**
Carlyle Clo. *Newp P* 3E **6**
Carnation Clo. *L Buz* 2F **27**
Carne, The. *Sto S* 3F **9**
Carnot Clo. *Shen L* 5F **15**
Carnoustie Gro. *Ble* 3F **21**
Carnweather Ct. *Tat* 2E **20**
Carolus Creek. *Pen* 1K **11**
Carpenter Ct. *Nea H* 2J **11**
Carrick Rd. *Fish* 7J **11**
Carrington Rd. *Newp P* 4F **7**
Carroll Clo. *Newp P* 2E **6**
Carron Clo. *L Buz* 4A **26**
Carron Ct. *Ble* 6B **22**
Carteret Clo. *Wil* 1D **12**
Carters La. *Kil F* 5H **9**
Cartmel Clo. *Ble* 4F **21**
Cartwell Bus. Pk. *L Buz* 6F **27**
Cartwright Pl. *Oldb* 1H **15**
Carvers M. *Nea H* 2J **11**
Cashmere Clo. *Shen B* 5D **14**

Casterton Clo. *Hee* 4F **11**
Castle Ct. *Buck* 4C **28**
                  (off Castle St.)
Castle Mdw. Clo. *Newp P* 3J **7**
Castle Rose. *Woug P* 3C **16**
Castlesteads. *Ban* 3C **10**
Castle St. *Buck* 4C **28**
CASTLETHORPE. **2B 4**
Catchpole Clo. *Grnly* 3J **9**
Catesby Cft. *Loug* 1F **15**
Cathay Clo. *Ble* 3A **22**
Cathedral of Trees. **3B** 12
Catherine Ct. *Buck* 2D **28**
Cavendish Ct. *Loug* 1D **14**
Cavenham. *Two M* 6C **10**
Cawkwell Way. *Ble* 2B **22**
Caxton Rd. *Old Wo* 1J **9**
Cecily Ct. *Shen C* 4D **14**
Cedar Lodge Dri. *Wol* 1A **10**
Cedars Way. *L Buz* 5D **26**
Cedars Way. *Newp P* 3G **7**
Celandine Ct. *Wal T* 3F **17**
Celina Clo. *Ble* 3B **22**
Centauri Clo. *L Buz* 3H **27**
CENTRAL MILTON KEYNES. **6H 11**
Central Retail Pk. *Rook* 6E **10**
Centurion Ct. *Kil F* 6K **9**
Century Av. *Oldb* 1H **15**
Cetus Cres. *L Buz* 4H **27**
CHACKMORE. **1A 28**
Chadds La. *Pear B* 1B **16**
Chadwick Dri. *Eag W* 2K **15**
Chaffron Way. (H7). *Mil K & Shen B* 2C **20**
Chaffron Way. (H7). *Shen L & Lead* 5F **15**
Chaffron Way. (H7). *Spfld & Kgstn* 7E **12**
Chalcot Pl. *Gt Hm* 1C **14**
Chalfont Clo. *Brad* 2D **10**
Chalkdell Dri. *Shen W* 5C **14**
Challacombe. *Furz* 7G **15**
Challoner Ct. *L Buz* 6G **27**
Chalmers Av. *Hav* 5F **5**
Chalwell Ridge. *Shen B* 5E **14**
Chamberlains Gdns. *L Buz* 1F **27**
Champflower. *Furz* 6G **15**
Chancery Clo. *Brad* 2D **10**
Chandler Ct. *Simp* 4D **16**
Chandos Clo. *Buck* 5C **28**
Chandos Ct. *Buck* 4C **28**
Chandos Pk. **5C 28**
Chandos Pl. *Ble* 2A **22**
Chandos Rd. *Buck* 5C **28**
Channory Clo. *Tat* 1D **20**
Chantry Clo. *Wbrn S* 3B **18**
Chapel Path. *L Buz* 3F **27**
Chapel St. *Wbrn S* 5C **18**
Chaplin Gro. *Crow* 2A **14**
Chapman Av. *Dow B* 3K **11**
Chapmans Dri. *Old S* 1C **8**
Chapter. *Cof H* 4K **15**
Chapter Ho. *Cof H* 4K **15**
Charbray Cres. *Shen B* 5D **14**
Chardacre. *Two M* 7B **10**
Charles Way. *Newp P* 3G **7**
Charlock Ct. *Newp P* 3D **6**
Chartley Ct. *Shen B* 5E **14**
Chartmoor Rd. *L Buz* 6F **27**
Chartwell Rd. *Newp P* 4J **7**
Chase Av. *Wltn P* 5F **17**
Chase, The. *Newt L* 6G **21**
Chatsworth. *Gt Hm* 7C **10**
Chaucer Clo. *Newp P* 3E **6**
Chaucer Rd. *Ble* 3K **21**
Chawton Cres. *Gt Hm* 7C **10**
Chelsea Grn. *L Buz* 5B **26**
Cheltenham Gdns. *Ble* 4G **21**
Cheneys Wlk. *Ble* 6K **15**
              (in two parts)
Chepstow Dri. *Ble* 4G **21**
Chequers, The. *Cast* 2B **4**
Cheriton. *Furz* 6H **15**
Cherleton. *Two M* 7B **10**
Cherrycourt Way. *L Buz* 5J **27**
Cherrycourt Way Ind. Est. *L Buz* 5J **27**
Cherry Rd. *Newp P* 4F **6**

Cherry Tree Wlk. *L Buz* 4D **26**
Chervil. *B'hll* 4A **16**
            (in three parts)
Cherwell Ho. *Ble* 2H **21**
Chesham Av. *Bdwl C* 5F **11**
Cheshire Ri. *Ble* 1H **21**
Cheslyn Gdns. *Gif P* 7E **6**
Chesney Wold. *Ble H* 3H **15**
Chester Clo. *Ble* 3G **21**
Chesterholm. *Ban* 3C **10**
Chestnut Clo. *Newt L* 7G **21**
Chestnut Clo. *Sto S* 3E **8**
Chestnut Cotts. *Buck* 5B **28**
            (off Mitre St.)
Chestnut Cres. *Ble* 3C **22**
            (in two parts)
Chestnut Hill. *L Buz* 3C **26**
Chestnut Ri. *L Buz* 3C **26**
Chestnuts, The. *Cast* 2B **4**
Chetwode Av. *Monk* 7F **13**
Chetwode Clo. *Buck* 2D **28**
Chevalier Gro. *Crow* 2A **14**
Cheviot Clo. *L Buz* 3B **26**
Cheyne Clo. *Buck* 3E **28**
Chicheley St. *Newp P* 3J **7**
Chicksands Av. *Monk* 6F **13**
Chievely Ct. *Em V* 1F **21**
Childs Way. (H6). *B'ton* 4E **12**
Childs Way. (H6). *Shen C & Mil K* 3F **15**
Childs Way. (H6). *Wcrft & Shen B* 7B **14**
Chillery Leys. *Wil* 1D **12**
Chillingham Ct. *Shen B* 5D **14**
Chiltern Gdns. *L Buz* 7F **25**
Chilterns, The. *L Buz* 5H **27**
Chiltern Trad. Est. *L Buz* 6F **27**
Chingle Cft. *Em V* 7E **14**
Chippenham Dri. *Kgstn* 6G **13**
Chipperfield Clo. *Brad* 1D **10**
Chipping Va. *Em V* 7E **14**
Chirlbury Clo. *Monk* 7E **12**
Chislehampton. *Wool* 5B **12**
Chiswick Clo. *Wcrft* 7C **14**
Christchurch Gro. *Wol* 2J **9**
Christian Ct. *Wil* 1B **12**
Christie Clo. *Newp P* 2E **6**
Church Av. *L Buz* 5F **27**
Church Clo. *Loug* 1E **14**
Church Clo. *Maid M* 1E **28**
CHURCH END. **4J 19**
Church End. *Newt L* 7G **21**
Church End. *Wav* 2K **17**
Church End Rd. *Shen B* 5D **14**
Church Farm Cres. *Gt Lin* 7C **6**
Church Grn. Rd. *Ble* 2J **21**
Church Hill. *Asp G* 4F **19**
Church Hill. *Two M* 7B **10**
Churchill Rd. *L Buz* 2G **27**
Church La. *Dean* 7B **8**
Church La. *Loug* 1E **14**
Church La. *Wltn* 3E **16**
Church La. *Lath* 1G **7**
Church Lees. *Gt Lin* 6B **6**
Church Pas. *Newp P* 3H **7**
Church Rd. *L Buz* 4D **26**
Church Rd. *Wbrn S* 7B **18**
Church Rd. *Bow B* 7J **17**
Church Sq. *L Buz* 5E **26**
Church St. *Asp G* 4F **19**
Church St. *Ble* 1D **22**
Church St. *L Buz* 3F **27**
Church St. *Maid M* 1E **28**
Church St. *New B* 1C **10**
Church St. *Sto S* 3E **8**
Church St. *Wol* 1K **9**
Church St. *Buck* 4B **28**
Church Vw. *Newp P* 3H **7**
Church Wlk. *Ble* 3J **21**
Cinnamon Gro. *Wal T* 4F **17**
City Discovery Cen. **5C 10**
Clailey Ct. *Sto S* 3G **9**
Clapham Pl. *Bdwl C* 6F **11**
Clare Cft. *Mil V* 5F **13**
Claremont Av. *Sto S* 4F **9**
Clarence Rd. *L Buz* 3F **27**

Clarence Rd. *Sto S* 3F **9**
Clarendon Dri. *Wym* 6C **10**
Claridge Dri. *Mdltn* 6F **13**
Clarke Rd. *Ble* 5B **16**
Clay Hill. *Two M* 6B **10**
Clayton Ga. *Gif P* 7E **6**
Cleavers Av. *Conn* 5G **11**
Cleeve Cres. *Ble* 7K **15**
Clegg Sq. *Shen B* 5E **14**
Clerkenwell Pl. *Spfld* 5A **12**
Cleveland. *Brad* 2E **10**
Cleveland Dri. *L Buz* 3B **26**
Clifford Av. *Ble* 3B **22**
Cline Ct. *Crow* 3B **14**
Clipstone Brook Ind. Pk. *L Buz* 4J **27**
Clipstone Cres. *L Buz* 4H **27**
Clock House, The. **5J 23**
Cloebury Paddock. *Wool* 5B **12**
Close, The. *Bdwl* 4D **10**
Close, The. *Wbrn S* 5C **18**
Close, The. *Woug G* 2C **16**
Close, The. *Lath* 1H **7**
Cloudberry. *Wal T* 3F **17**
Clover Clo. *Loug* 1D **14**
Club La. *Wbrn S* 5C **18**
Cluny Ct. *Wav G* 3J **17**
Clyde Pl. *Ble* 1H **21**
Clydesdale Pl. *Dow B* 4J **11**
Coachmaker Ct. *Nea H* 2K **11**
Cobb Hall Rd. *Newt L* 7F **21**
Coberley Clo. *Dow P* 2A **12**
Cobham Grn. *Buck* 3B **28**
Cochran Clo. *Crow* 2B **14**
Cockerell Gro. *Shen L* 4F **15**
COFFEE HALL. **3K 15**
Coffee Hall Roundabout (Junct.) **3A 16**
Cofferidge Clo. *Sto S* 3E **8**
Cogan Ct. *Crow* 2B **14**
Coggeshall Gro. *Wav G* 2H **17**
Coin Clo. *Mdltn* 5E **12**
Colchester Ct. *Ble* 3H **21**
Coldeaton La. *Em V* 6E **14**
Coleridge Clo. *Ble* 3K **21**
Coleridge Clo. *Newp P* 3D **6**
Colesbourne Dri. *Dow P* 2K **11**
Coleshill Pl. *Bdwl C* 5F **11**
Colgrain St. *Cam P* 4K **11**
Colley Hill. *Bdwl* 4D **10**
Collins Wlk. *Newp P* 3E **6**
Colne. *Tin B* 3C **16**
Colston Bassett. *Em V* 1F **21**
Coltsfoot Pl. *Conn* 5G **11**
Colts Holm Rd. *Old Wo* 7E **4**
Columba Dri. *L Buz* 3J **27**
Columbia Pl. *Cam P* 5K **11**
Combe Martin. *Furz* 7G **15**
Comfrey Clo. *Wal T* 4F **17**
Commerce Way. *L Buz* 5K **27**
Commerce Way Ind. Est. *L Buz* 5K **27**
Common La. *Bdwl C* 4D **10**
Common La. *Loug* 1F **15**
Concord Way. *L Buz* 6K **27**
Concourse, The. *Ble* 2B **22**
Concra Pk. *Wbrn S* 5D **18**
Condor Clo. *Eag* 1K **15**
Congreve. *Tin B* 4C **16**
Coniston Rd. *L Buz* 4B **26**
Coniston Way. *Ble* 4C **22**
CONNIBURROW. **4H 11**
Conniburrow Boulevd. *Conn* 5G **11**
Constable Clo. *Nea H* 1J **11**
Constantine Way. *Ban P* 3C **10**
Conway Clo. *Ble* 2J **21**
Conway Cres. *Ble* 2H **21**
Cook Clo. *Wltn P* 5G **17**
Coopers Ct. *Newp P* 3G **7**
Coopers M. *Nea H* 2J **11**
Coots Clo. *Buck* 5D **28**
Copeland Clo. *Brow W* 4H **17**
Copes Haven. *Shen B* .. .6E **14**
Copper Beech Way. *L Buz* 1F **27**
Coppin La. *Bdwl* 5D **10**
Corbet Ride. *L Buz* 3C **26**

Corbet Sq. *L Buz* 3C **26**
Corbett Clo. *Wil* 1C **12**
Cordwainer Ct. *Nea H* 2J **11**
Corfe Cres. *Ble* 2J **21**
Coriander Ct. *Wal T* 4G **17**
Corin Clo. *Ble* 5C **22**
Cork Pl. *Ble* 7H **15**
Cornbury Cres. *Dow P* 2K **11**
Cornelia Clo. *Ble* 4B **22**
Corn Hill. *Two M* 7B **10**
Cornwall Gro. *Ble* 1J **21**
(in two parts)
Cornwallis Cen. *Buck* 3C **28**
Cornwallis Mdw. *Buck* 3C **28**
Coronation Rd. *Sto S* 3F **9**
Corrigan Clo. *Ble* 2K **21**
Corsham Ct. *Gt Hm* 7C **10**
COSGROVE. **5A 4**
Cosgrove Lodge Pk. 6C 4
Cosgrove Rd. *Old S* 1C **8**
Cotefield Dri. *L Buz* 1G **27**
(in two parts)
Cotman Clo. *Grnly* 3J **9**
Cotswold Dri. *L Buz* 3B **26**
Cottage Comn. *Loug* 1E **14**
Cottesloe Ct. *Sto S* 3G **9**
Cottingham Gro. *Ble* 3K **21**
Cottisford Cres. *Gt Lin* 6C **6**
(in three parts)
Countisbury. *Furz* 7G **15**
Courteneys Lodge. Furz *6H* ***15***
(off Blackmoor Ga.)
Courthouse M. *Newp P* 3G **7**
Courtlands, The. L Buz *5D* ***26***
(off Mentmore Rd.)
Courtyard Arts Cen., The. 6B 6
Courtyard, The. *Gt Lin* 6C **6**
Coverack Pl. *Tat* 2E **20**
Coverdale. *Hee* 3F **11**
Cowdray Clo. *Wool* 5B **12**
Cowper Clo. *Newp P* 3E **6**
Coxwell Clo. *Buck* 3E **28**
Crabtree La. *Wav* 1D **18**
Craddocks Clo. *Bdwl* 5E **10**
Craddocks Dri. *L Buz* 7F **25**
Craigmore Av. *Ble* 2J **21**
Cranberry Clo. *Wal T* 3G **17**
Cranborne Av. *Wcrft* 1C **20**
(Chaffron Way)
Cranborne Av. *Wcrft* 7B **14**
(Whaddon Rd.)
Cranbrook. *Wbrn S* 4C **18**
Crane Ct. *Loug* 7E **10**
Cranesbill Pl. *Conn* 4H **11**
Cranfield Rd. *Wbrn S* 4C **18**
Cranwell Clo. *Shen B* 6E **14**
Craven, The. *Hee* 4F **11**
Crawley Pk. *Hus C* 4H **19**
Crawley Rd. *Hus C* 7H **19**
Creed St. *Wol* 1A **10**
Creran Wlk. *L Buz* 4B **26**
Crescent, The. *Ble* 1B **22**
Crescent, The. *Gt Lin* 5C **6**
Crescent, The. *Hav* 5G **5**
Creslow Ct. *Sto S* 3G **9**
Cressey Av. *Shen B* 5E **14**
Cricket Grn. Roundabout (Junct.) **4A 12**
Cricklebeck. *Hee* 3E **10**
Crispin Rd. *Brad* 1D **10**
Crofts La. *Newt L* 7G **21**
Cromarty Ct. *Ble* 6H **15**
Cromwell Av. *Newp P* 4E **6**
Cromwell Ct. *Buck* 2D **28**
Cropredy Ct. *Buck* 2D **28**
Cropton Ri. *Em V* 7D **14**
Cropwell Bishop. *Em V* 1F **21**
Crosby Ct. *Crow* 3B **14**
CROSS END. **2A 18**
Cross End. *Wav* 1A **18**
Crosshills. *Sto S* 4E **8**
Crosslands. *Stant* 7B **6**
Crosslow Bank. *Em V* 6F **15**
Cross St. *Newp P* 3G **7**
Crossway. *L Buz* 4J **27**
Crowborough La. *Ken H* 1F **17**
Crow La. *Hus C* 5J **19**
Crow La. *Wav* 1C **18**
CROWNHILL. **2B 14**
Crownhill Crematorium. *Crow* 1B **14**
Crownhill Roundabout (Junct.) **1B 14**
Crown Wlk. *Mil K* 5H **11**
Crowther Ct. *Shen L* 4F **15**
Croydon Clo. *Furz* 6F **15**
Cruickshank Gro. *Crow* 2A **14**
Crummock Pl. *Ble* 4C **22**
Cuff La. *Gt Bri* 1C **24**
Culbertson La. *Blu B* 2B **10**
Cullen Pl. *Ble* 5C **22**
Culmstock Clo. *Em V* 7G **15**
Culrain Pl. *Hod L* 4A **10**
Culross Gro. *Monk* 6F **13**
Cumbria Clo. *Ble* 1J **21**
Currier Dri. *Nea H* 2H **11**
Curtis Cft. *Shen B* 6E **14**
Curzon Pl. *Old F* 5K **17**
Cutlers M. *Nea H* 2J **11**
Cutlers Way. *L Buz* 5G **27**
Cygnus Dri. *L Buz* 3J **27**
Cypress. *Newp P* 4E **6**

D

Dalgin Pl. *Cam P* 5K **11**
Dalton Ga. *Mil V* 5E **12**
Dalvina Pl. *Hod L* 4A **10**
Dane Rd. *Ble* 7C **16**
Danesborough Dri. *Wbrn S* 7B **18**
Danesbrook Clo. *Furz* 5G **15**
Danes Way. *L Buz* 4J **27**
Daniels Welch. *Cof H* 2K **15**
Dansteed Way. (H4). *Bdwl C & Conn* 5E **10**
Dansteed Way. (H4). *Crow & Rook* 3A **14**
Dansteed Way. (H4). *Pen & Wil* 4G **11**
Darby Clo. *Shen L* 4E **14**
Darin Ct. *Crow* 1C **14**
Darley Ga. *Dow B* 3J **11**
Darnel Clo. *B'hll* 4K **15**
Dart Clo. *Newp P* 3H **7**
Darwin Clo. *Med* 4B **14**
Daubeney Ga. *Shen C* 3C **14**
Davenport Lea. *Old F* 5K **17**
David Lloyd Leisure. 3A 12
Davy Av. *Know* 2F **15**
Dawson Rd. *Ble* 6B **16**
Daylesford Ct. *Dow P* 2A **12**
Daytona International Karting Circuit. 6E 10
Deacon Pl. *Mdltn* 5D **12**
DEANSHANGER. **7B 8**
Deanshanger Rd. *Old S* 3C **8**
Dean's Rd. *Old Wo* 1K **9**
Debbs Clo. *Sto S* 3F **9**
Deben Clo. *Newp P* 4J **7**
De Clare Ct. *Buck* 3D **28**
Deepdale. *Hee* 3F **11**
Deerfern Clo. *Gt Lin* 6C **6**
Deerfield Clo. *Buck* 5D **28**
Deer Wlk. *Mil K* 5H **11**
Deethe Clo. *Wbrn S* 3C **18**
Delamere Gdns. *L Buz* 4B **26**
Delaware Dri. *Tong* 6F **7**
(in two parts)
Delius Clo. *Brow W* 5H **17**
Dell, The. *H&R* 5G **25**
Deltic Av. *Rook* 6E **10**
DENBIGH EAST. **7D 16**
Denbigh E. Ind. Est. *Ble* 7D **16**
DENBIGH HALL. **6J 15**
Denbigh Hall. *Ble* 6J **15**
Denbigh Hall Dri. *Ble* 6J **15**
Denbigh Hall Ind. Est. *Ble* 6J **15**
DENBIGH NORTH. **6A 16**
Denbigh North Leisure. 7B 16
Denbigh Rd. *Ble* 6A **16**
Denbigh Roundabout (Junct.) **7C 16**
Denbigh Sports Ground. 6A 16
Denbigh Way. *Ble* 1B **22**
DENBIGH WEST. **7A 16**
Denbigh W. Ind. Est. *Ble* 7A **16**
(Denbigh Rd.)
Denbigh W. Ind. Est. *Ble* 1B **22**
(Watling St.)
Denchworth Ct. *Em V* 7F **15**
Dene Clo. *Wbrn S* 6D **18**
Denham Clo. *Ble* 2G **21**
Denison Ct. *Wav G* 3J **17**
Denmark St. *Ble* 2D **22**
Denmead. *Two M* 6B **10**
Dere Pl. *Ble* 6D **22**
Derwent Clo. *Newp P* 3H **7**
Derwent Dri. *Ble* 2H **21**
Derwent Rd. *L Buz* 4A **26**
Develin Clo. *Nea H* 1J **11**
Devon Clo. *Ble* 1H **21**
Dexter Av. *Oldb* 1J **15**
Dickens Dri. *Old S* 2C **8**
Dickens Rd. *Old Wo* 7E **4**
Diddington Clo. *Ble* 7B **22**
Digby Rd. *L Buz* 3F **27**
Dingle Dell. *L Buz* 1E **26**
Diswell Brook Way. *Dean* 6B **8**
Dixie La. *Wav G* 3H **17**
Dodkin. *B'hll* 4A **16**
(in four parts)
Dodman Grn. *Tat* 2E **20**
Doggett St. *L Buz* 4E **26**
(in three parts)
Dolben Ct. *Wil* 7H **7**
Donnington. *Brad* 2E **10**
Don, The. *Ble* 1G **21**
Doon Way. *Ble* 5B **22**
(in two parts)
Dorchester Av. *Ble* 7J **15**
(in three parts)
Doreen Clo. *Ble* 3B **22**
Dorking Pl. *Shen B* 5E **14**
Dormans Clo. *Mil V* 6F **13**
Dorney Pl. *Bdwl C* 5F **11**
Dorset Clo. *Ble* 1J **21**
Dorton Clo. *Gt Hm* 7C **10**
Douglas Pl. *Oldb* 1G **15**
Doune Ho. *Ble* 7J **15**
Dove Clo. *Newp P* 3H **7**
Dove Clo. *Buck* 5D **28**
Dovecote. *Newp P* 3G **7**
Dovecote Cft. *Gt Lin* 6C **6**
Dover Ga. *Ble* 3J **21**
Dove Tree Rd. *L Buz* 3H **27**
Downdean. *Eag* 1K **15**
Downderry Cft. *Tat* 2E **20**
Downer Clo. *Buck* 4E **28**
Downham Rd. *Wbrn S* 5D **18**
DOWNHEAD PARK. **3A 12**
Downland. *Two M* 6B **10**
Downley Av. *Bdwl C* 5F **11**
DOWNS BARN. **3J 11**
Downs Barn Boulevd. *Dow B* 4J **11**
Downs Barn Roundabout (Junct.) **3J 11**
Downs Vw. *Bow B* 7H **17**
Drakes M. *Crow* 2B **14**
Drakewell Rd. *Bow B* 1J **23**
Drayton Rd. *Ble* 4B **22**
Drayton Rd. *Newt L* 7G **21**
Drivers Ct. *L Buz* 4J **27**
Drovers Cft. *Grnly* 4J **9**
Drummond Hay. *Wil* 1B **12**
Dryden Clo. *Newp P* 3E **6**
Duchess Gro. *Wav G* 2H **17**
Duck End. *Gt Bri* 1C **24**
Duck Lake. *Maid M* 1D **28**
Duck Lake Clo. *Maid M* 1D **28**
Dudley Hill. *Shen C* 3D **14**
Dudley St. *L Buz* 5F **27**
Dukes Dri. *Ble* 1B **22**
Dukes Piece. *Buck* 4E **28**
Dukes Ride. *L Buz* 7D **24**
Duke St. *Asp G* 5E **18**
Dulverton Ct. *L Buz* 3B **26**
Dulverton Dri. *Furz* 6F **15**
Dulwich Clo. *Newp P* 5G **7**
Dumfries Clo. *Ble* 6J **15**

Dunbar Clo. *Ble* 2G **21**
Duncan Gro. *Shen C* 3C **14**
Dunchurch Dale. *Wal T* 4F **17**
Duncombe Dri. *L Buz* 5F **27**
Duncombe St. *Ble* 2A **22**
Dungeness Ct. *Tat* 1C **20**
Dunkery Beacon. *Furz* 6G **15**
Dunsby Rd. *Redm* 5K **15**
Dunster Ct. *Furz* 6H **15**
Dunvedin Pl. *Hod L* 4A **10**
Dunvegan Clo. *Ble* 6C **22**
Duparc Clo. *Brow W* 4H **17**
Durgate. *Ken H* 1F **17**
Durrans Ct. *Ble* 1D **22**
Durrans Ho. Ble 1D 22
(off Durrans Ct.)
Durrell Clo. *L Buz* 4D **26**
Dyersdale. *Hee* 3F **11**
Dyers M. *Nea H* 2J **11**

E

EAGLESTONE. **1A 16**
Eaglestone Roundabout (Junct.) **1K 15**
EAGLESTONE WEST. **2A 16**
Eagle Wlk. *Mil K* 5J **11**
Ealing Chase. *Monk* 1E **16**
Earls Clo. *Ble* 2B **22**
Earls Willow. *New B* 7J **5**
Easby Gro. *Monk* 7F **13**
Eastbury Ct. *Em V* 1G **21**
East Chapel. *Tat* 2E **20**
East Dales. *Hee* 3F **11**
Eastern Way. *H&R* 6G **25**
E. Green Clo. *Shen C* 3C **14**
East La. *Wltn* 2E **16**
East Spur. *Wltn* 2E **16**
East St. *L Buz* 3F **27**
East Walk. *Mil K* 6H **11**
E. Walk S. Mil K 6H 11
(off East Wlk.)
Eaton Av. *Ble* 3C **22**
Ebbsgrove. *Loug* 7E **10**
Eddington Ct. *Em V* 1G **21**
Eden Ct. *L Buz* 6G **27**
Eden Wlk. *Ble* 1H **21**
Eden Way. *L Buz* 6G **27**
Edgecote. *Gt Hm* 1D **14**
Edge Hill Ct. *Buck* 2D **28**
Edinburgh Ho. Ble 3G 21
(off Chester Clo.)
Edison Sq. *Shen L* 4F **15**
Edmonds Clo. *Buck* 3E **28**
Edmund Ct. *Shen C* 2C **14**
Edrich Av. *Oldb* 1J **15**
Edward St. *L Buz* 3F **27**
Edwin Clo. *Bow B* 7J **17**
Edy Ct. *Loug* 7D **10**
Edzell Cres. *Wcrft* 7B **14**
Eelbrook Av. *Bdwl C* 6F **11**
Egerton Ga. *Shen B* 5D **14**
Egmont Av. *Sto S* 4F **9**
Eider Clo. *Buck* 4D **28**
Elder Ga. *Mil K* 7E **10**
(in three parts)
ELFIELD PARK. **4J 15**
Elfield Pk. Roundabout (Junct.) **5J 15**
Elfords. *Cof H* 3K **15**
Elgar Gro. *Brow W* 4H **17**
Eliot Clo. *Newp P* 2D **6**
Ellenstow. *Bdwl* 4D **10**
Ellerburn Pl. *Em V* 6E **14**
Ellesborough Gro. *Two M* 5A **10**
Ellisgill Ct. *Hee* 4E **10**
Elm Clo. *Newt L* 7F **21**
Elm Dri. *Dean* 6A **8**
Elmers Pk. *Ble* 2K **21**
Elm Gro. *Wbrn S* 5C **18**
Elmhurst Clo. *Furz* 5J **15**
Elmridge Ct. *Em V* 7F **15**
Elms, The. *Ble* 2J **21**
Elms, The. *L Buz* 4D **26**
Elm St. *Buck* 4C **28**
Elthorne Way. *Newp P* 4G **7**
Elton. *Woug P* 2C **16**
Emerald Ga. *N'fld* 3D **12**
Emerson Roundabout (Junct.) **7G 15**
EMERSON VALLEY. **7F 15**
Emerton Gdns. *Sto S* 3E **8**
Emmett Clo. *Em V* 1F **21**
Empingham Clo. *Ble* 6C **22**
Emu Clo. *H&R* 5F **25**
Enfield Chase. *Lin W* 3G **11**
Engaine Dri. *Shen C* 3C **14**
Enmore Ga. *Cam P* 5K **11**
Enmore Roundabout (Junct.) **5K 11**
Ennell Gro. *Ble* 5B **22**
Ennerdale Clo. *Ble* 4C **22**
Enterprise La. *Cam P* 5K **11**
Enterprise Way. *L Buz* 6F **27**
Epsom Clo. *L Buz* 5C **26**
Epsom Gro. *Ble* 4G **21**
Eriboll Clo. *L Buz* 5A **26**
Erica Rd. *Sta B* 4B **10**
Eridge Grn. *Ken H* 1F **17**
Eskan Ct. *Cam P* 4A **12**
Eskdale Way. *Brou* 5G **13**
Esk Way. *Ble* 1G **21**
(in two parts)
Esmond Way. *L Buz* 6J **27**
Essenden Ct. *Sto S* 3G **9**
Essex Clo. *Ble* 1J **21**
Esther Clo. *Brad* 2D **10**
Eston Ct. *Brad* 3D **10**
Etheridge Av. *Brin* 1H **17**
Ethorpe. *Two M* 7B **10**
Eton Cres. *Wol* 2K **9**
Europa Bus. Pk. *Kgstn* 6H **13**
Evans Ga. *Oldb* 1H **15**
Evelyn Pl. *Brad* 1D **10**
Everglade. *Eag* 1K **15**
Everley Clo. *Em V* 6F **15**
Exebridge. *Furz* 6F **15**
Exmoor Ga. *Furz* 7H **15**
Eynsham Ct. *Wool* 6B **12**

F

Fadmoor Pl. *Em V* 6E **14**
Fairfax. *Brad* 2F **11**
Fairford Cres. *Dow P* 2K **11**
Fairways. *Two M* 6K **9**
Fairways Roundabout (Junct.) **6K 9**
Falaise. *Bol P* 1A **12**
Falcon Av. *Spfld* 6A **12**
Fallowfield. *L Buz* 4H **27**
Falmouth Pl. *Fish* 7J **11**
Faraday Dri. *Shen L* 5E **14**
FAR BLETCHLEY. **3G 21**
Farinton. *Two M* 6C **10**
Farjeon Ct. *Old F* 5J **17**
Farmborough. *Neth* 3B **16**
Farnell Ct. *Loug* 1F **15**
Farnham Ct. *Gt Hm* 7B **10**
Farrier Pl. *Dow B* 2K **11**
Farthing Gro. *Neth* 3A **16**
Faulkner's Way. *L Buz* 4E **26**
Favell Dri. *Furz* 5H **15**
Featherstone Rd. *Wol M* 3H **9**
Fegans Ct. *Sto S* 2E **8**
Felbridge. *Ken H* 2F **17**
Fennel Dri. *Conn* 3H **11**
FENNY LOCK. **7D 16**
Fenny Lock Roundabout (Junct.) **6D 16**
Fenny Lodge Gallery. 1D **22**
Fennymere. *Two M* 7A **10**
FENNY STRATFORD. **1D 22**
FENNY STRATFORD STATION. **1D 22**
Fenton Ct. *Gt Hm* 1C **14**
Fernan Dell. *Crow* 2A **14**
Fernborough Haven. *Em V* 7F **15**
Ferndale. *Eag* 7A **12**
Fern Gro. *Ble* 5B **22**
Field La. *Grnly* 3J **9**
Field Wlk. *Mil K* 5J **11**
(in two parts)
Fife Ct. *Tat* 2D **20**
Finch Clo. *Mil V* 5E **12**
Finch Cres. *L Buz* 6D **26**
Findlay Way. *Ble* 2B **22**
Fingle Dri. *S'bri* 1B **10**
Firbank Ct. *L Buz* 6F **27**
Firbank Way. *L Buz* 6F **27**
Fire La. *Newt L* 7G **21**
Firs Path. *L Buz* 2F **27**
First Av. *Ble* 7A **16**
FISHERMEAD. **7K 11**
Fishermead Boulevd. *Fish* 7J **11**
Fishermead Roundabout (Junct.) **7A 12**
Fishers Fld. *Buck* 4B **28**
Fitzhamon Ct. *Wol M* 3H **9**
Flambard Clo. *Bol P* 1K **11**
Flaxbourne Ct. Wav G 2H 17
(off Isaacson Dri.)
Flaxley Ga. *Monk* 6F **13**
Fleet Clo. *Buck* 2E **28**
Fleet, The. *Spfld* 6A **12**
Fleming Dri. *Neth* 3A **16**
Fletchers M. *Nea H* 2J **11**
Flintergill Ct. *Hee* 4E **10**
Flitton Ct. *Sto S* 3G **9**
Flora Thompson Dri. *Newp P* 1D **6**
Florin Clo. *Pen* 1K **11**
Folly Rd. *Dean* 6A **8**
Fontwell Dri. *Ble* 4F **21**
Forbes Pl. *Med* 4B **14**
Forches Clo. *Em V* 7G **15**
Fordcombe Lea. *Ken H* 1F **17**
Ford St. *Buck* 4C **28**
Forest Ri. *Eag* 1A **16**
Forfar Dri. *Ble* 7J **15**
Formby Clo. *Ble* 3F **21**
Forrabury Av. *Bdwl C* 5E **10**
Forscott Rd. *Maid M* 1E **28**
Fortescue Dri. *Shen C* 3D **14**
Fortuna Ct. *Wav G* 3H **17**
Foscott Way. *Buck* 2D **28**
Fossey Clo. *Shen B* 5C **14**
Fosters La. *Bdwl* 5D **10**
(in three parts)
Founders M. *Nea H* 2J **11**
Fountaine Clo. *Gt Lin* 7C **6**
Fowler. *Stant* 1F **11**
FOX CORNER. **3F 25**
Foxcovert Rd. *Shen W* 5C **14**
Fox Farm Rd. *L Bri* 4J **23**
Foxgate. *Newp P* 3F **7**
Foxglove Ct. *Newp P* 3D **6**
Foxhunter Dri. *Lin W* 2G **11**
FOX MILNE. **4E 12**
Fox Milne Roundabout (Junct.) **4E 12**
Foxton. *Woug P* 3C **16**
Fox Way. *Buck* 5D **28**
Framlingham Ct. *Shen C* 4D **14**
France Furlong. *Gt Lin* 7D **6**
Frances Ct. *L Buz* 4D **26**
Francis Ct. *Shen C* 3D **14**
Frank Atter Cft. *Wol* 3K **9**
Franklins Cft. *Wol* 3K **9**
Frankston Av. *Sto S* 3F **9**
Frederick Smith Ct. *Hod L* 4A **10**
Freeman Clo. *Grnly* 3J **9**
Frensham Dri. *Ble* 3B **22**
Friary Gdns. *Newp P* 5G **7**
Friday St. *L Buz* 4E **26**
Frithwood Cres. *Ken H* 2F **17**
Frogmore Pl. *Wcrft* 7B **14**
Froxfield Ct. *Em V* 1F **21**
Fryday St. *Lead* 2H **15**
FULLERS SLADE. **4G 9**
Fulmer St. (V3). *Crow & Shen C* 2A **14**
Fulmer St. (V3). *Shen L & Furz* 5E **14**
Fulwoods Dri. *Lead* 1K **15**
Furness Cres. *Ble* 1J **21**
Fury Ct. *Crow* 2C **14**
Furze Ho. *Furz* 7H **15**
Furze Way. *Wol* 2K **9**
FURZTON. **5F 14**
FURZTON LAKE. **5G 15**

Furzton Roundabout (Junct.) 5E 14
Fyfield Barrow. *Wal T* 3H 17
Fyne Dri. *L Buz* 3B 26

G

Gables, The. *L Buz* 5D 26
Gables, The. *Wol* 2A 10
Gable Thorne. *Wav G* 3J 17
Gabriel Clo. *Brow W* 4H 17
Gaddesden Cres. *Wav G* 3H 17
Gainsborough Clo. *Crow* 2A 14
Gairloch Av. *Ble* 5C 22
Gallagher Clo. *Crow* 1B 14
Galley Hill. *Ful S* 3G 9
Galley Hill Roundabout (Junct.) 4G 9
Galley La. *Gt Bri* 6F 23
Galloway Clo. *Ble* 7H 15
Ganton Clo. *Ble* 1G 21
Garamonde Dri. *Two M* 5B 10
Garbo Clo. *Crow* 2A 14
Garden Hedge. *L Buz* 3F 27
Garden Leys. *L Buz* 5H 27
Gardiner Ct. *Blu B* 2B 10
Garland Ct. *Crow* 1B 14
Garland Way. *L Buz* 6H 27
Garraways. *Cof H* 2K 15
Garrick Wlk. *Mil K* 5J 11
Garrowmore Gro. *Ble* 5C 22
Garry Clo. *Ble* 5B 22
Garston. *Two M* 7C 10
Garthwaite Cres. *Shen B* 6C 14
Gaskin Ct. *Dow B* 3K 11
Gatcombe. *Gt Hm* 7C 10
Gatewick La. *C'ctte* 6F 17
Gawcott Rd. *Buck* 6A 28
Gayal Cft. *Shen B* 5E 14
Gemini Clo. *L Buz* 3J 27
George Ct. *H&R* 5F 25
George Farm Clo. *L Bri* 5J 23
George St. *Ble* 1D 22
George St. *L Buz* 4G 27
George Yd. Sto S *3E 8*
(*off High St.*)
Gerard Clo. *Brad* 1D 10
Germander Pl. *Conn* 4G 11
Gershwin Ct. *Brow W* 5H 17
Gibbwin. *Gt Lin* 7B 6
Gibson Dri. *L Buz* 6H 27
Gibsons Grn. *Hee* 4E 10
GIFFARD PARK. 6E 6
Giffard Pk. Roundabout (Junct.) 4D 6
Gifford Ga. *Gt Lin* 1H 11
Gifford Pl. *Buck* 3D 28
Gig La. *H&R* 5G 25
Gilbert Clo. *Ble* 3A 22
Gilbert Scott Rd. *Buck* 2C 28
Gilders M. *Nea H* 2J 11
Gillamoor Clo. *Em V* 6E 14
Gisburn Clo. *Hee* 3E 10
Gladstone Clo. *Newp P* 4G 7
Glamis Ho. *Ble* 3H 21
Glamorgan Clo. *Ble* 1J 21
Glastonbury Clo. *Ble* 7K 15
Glazier Dri. *Nea H* 2J 11
Glebe Clo. *Loug* 1D 14
Glebe Clo. *Maid M* 1D 28
Glebe Rd. *Dean* 6B 8
Glebe Roundabout (Junct.) 5A 12
Glebe Ter. *Maid M* 1E 28
Gledfield Pl. *Hod L* 4A 10
Gleeman Clo. *Grnly* 3H 9
Gleneagles Clo. *Ble* 3G 21
Glenmoors. *Newp P* 4G 7
Globe La. *L Buz* 2D 26
Gloucester Rd. *Wol* 3K 9
Glovers La. *Hee* 4E 10
Glyn Sq. *Wol* 1A 10
Glyn St. *New B* 1C 10
Glynswood Rd. *Buck* 4B 28
Goathland Cft. *Em V* 7E 14
Goddards Cft. *Wol* 3K 9
Godrevy Gro. *Tat* 2E 20
Godwin Clo. *Wav G* 2H 17
Golden Dri. *Eag* 2K 15
Golden Riddy. *L Buz* 3D 26
Goldilocks. *Wal T* 3G 17
Goldmark Clo. *Old F* 4J 17
Goldney Ct. *Wcrft* 7B 14
Gold Oak Wlk. Cam P *5J 11*
(*off Silbury Boulevd.*)
Goldsmith Dri. *Newp P* 3D 6
Golspie Cft. *Hod L* 4K 9
Goodman Gdns. *Woug G* 1C 16
Goodwick Gro. *Tat* 2E 20
Goodwood. *Gt Hm* 1C 14
Goosemere. *Dean* 7B 8
Goran Av. *Sto S* 4F 9
Gordale. *Hee* 3F 11
Goring. *Stant* 1F 11
Gorman Pl. *Ble* 6D 22
Gorricks. *Sto S* 4E 8
Goslington. *Ble* 7B 16
Goudhurst Ct. *Ken H* 2G 17
Grace Av. *Oldb* 1G 15
Grafham Clo. *Gif P* 7E 6
Grafton Ga. E. *Mil K* 7F 11
Grafton Ga. (V6). *Mil K* 6F 11
Grafton Ga. W. *Mil K* 7F 11
Grafton Pk. *Mil K* 7G 11
Grafton St. (V6). *New B & Bdwl C* 7G 5
Grafton St. (V6). *Oldb & Ble* 1G 15
Grampian Ga. *Wint* 2G 15
Gramwell. *Shen C* 2C 14
Granary Clo. *Hav* 4H 5
GRANBY. 6K 15
Granby Ct. *Ble* 6K 15
Granby Ind. Est. *Ble* 6A 16
Granby Roundabout (Junct.) 6A 16
Granes End. *Gt Lin* 7C 6
Grange Clo. *L Buz* 5C 26
Grange Clo. *Maid M* 1D 28
Grange Ct. *H&R* 4F 25
Grange Ct. *Wol M* 2G 9
GRANGE FARM. 3A 14
Grange Farm Roundabout (Junct.) 2A 14
Grange Gdns. *H&R* 4F 25
Grange Rd. *Ble* 3J 21
Grangers Cft. *Hod L* 4K 9
Grantham Ct. *Shen L* 4F 15
Granville Sq. *Wil* 1B 12
(in two parts)
Grasmere Way. *Ble* 4C 22
Grasmere Way. *L Buz* 4C 26
Grasscroft. *Furz* 5H 15
Grassington. *Ban* 3D 10
Gratton Ct. *Em V* 6F 15
Graveney Pl. *Spfld* 6A 12
GREAT BRICKHILL. 1B 24
Gt. Brickhill La. *L Bri* 5J 23
Greatchesters. *Ban* 3C 10
Gt. Denson. *Eag* 1K 15
Gt. Ground. *Gt Lin* 1H 11
Greatheed Dell. *Old F* 5J 17
GREAT HOLM. 7D 10
Great Linch. *Mdltn* 6F 13
GREAT LINFORD. 7C 6
Gt. Linford Roundabout (Junct.) 1J 11
Gt. Monks St. (V5). *Wol M & Two M* 2H 9
Gt. Slade. *Buck* 6C 28
Greaves Way. *L Buz* 5J 27
Greaves Way Ind. Est. *L Buz* 5J 27
GREEN END. 7J 23
Green End. *Gt Bri* 1C 24
Grn. Farm Rd. *Newp P* 3G 7
Greenfield Rd. *Newp P* 3E 6
Greenhill. *L Buz* 2F 27
Greenhill Clo. *Loug* 1C 14
Greenlands. *L Buz* 3H 27
Greenlands Clo. *Newp P* 4E 6
Green La. *Asp G* 6F 19
Green La. *Wol* 2A 10
Green La. Roundabout (Junct.) 4A 12
Greenlaw Pl. *Ble* 6K 15
GREENLEYS. 3K 9
Greenleys La. *Grnly* 4J 9
Greenleys Roundabout (Junct.) 2H 9
Green Pk. Dri. *Newp P* 4F 7
Greenside Hill. *Em V* 1E 20
GREEN, THE. 4G 7
Green, The. *Cosg* 5B 4
(in two parts)
Green, The. *Dean* 7B 8
Green, The. *Loug* 1D 14
Green, The. *Newp P* 3G 7
Green, The. *Woug G* 1B 16
(in two parts)
Green Way. *Newt L* 6G 21
Greenways. *Bow B* 7H 17
Greenway Wlk. *Buck* 3E 28
Greenwich Gdns. *Newp P* 5F 7
Gregories Dri. *Wav G* 3H 17
Grenville Rd. *Buck* 3B 28
Greyfriars Ct. *Kgstn* 6G 13
Greys, The. *Woug G* 1B 16
Greystonley. *Em V* 7F 15
Griffith Ga. *Mdltn* 5F 13
Griffith Ga. Roundabout (Junct.) 5F 13
Griffon Clo. *Eag* 1K 15
Grigsby Ri. *Cof H* 2K 15
Grimbald Ct. *Wil* 1B 12
Grizedale. *Hee* 3E 10
Groombridge. *Ken H* 2F 17
Grosmont Clo. *Em V* 7E 14
Groundsel Clo. *Wal T* 3G 17
Grove Ash. *Ble* 6C 16
Grovebury Pl. Est. *L Buz* 6F 27
Grovebury Rd. *L Buz* 7E 26
(in two parts)
Grovebury Rd. Ind. Est. *L Buz* 7F 27
(Chartmoor Rd.)
Grovebury Rd. Ind. Est. *L Buz* 5F 27
(Grovebury Rd.)
Grove Pl. *L Buz* 5F 27
Grove Rd. *L Buz* 5F 27
Grovesbrook. *Bow B* 7H 17
Grove, The. *Bdwl* 4D 10
Grove, The. *Ble* 2K 21
Grove, The. *Newp P* 4F 7
Groveway. *Redm* 6K 15
Groveway. *Wav G* 2H 17
Groveway. (H9). *A'lnd & Wltn* 5A 16
Guest Gdns. *New B* 7K 5
Gullivers Land Theme Pk. 4B 12
Gundale Ct. *Em V* 7E 14
Gunmaker Ct. *Nea H* 2J 11
Gunver La. *Tat* 1E 20
Gurnards Av. *Fish* 6J 11
Gurney Clo. *Loug* 2D 14
Gwynant Ct. *Ble* 7C 22

H

H1 (Ridgeway). *Ful S* 4G 9
H1 (Ridgeway). *Wol M* 3H 9
H2 (Millers Way). *Ful S & Hod L* 5H 9
H2 (Millers Way). *Sta B & Brad* 3A 10
H3 (Monks Way). *Sta B* 4B 10
H3 (Monks Way). *Stant & Tong* 2F 11
H3 (Monks Way). *Two M* 6K 9
H4 (Dansteed Way). *Bdwl C & Conn* 5E 10
H4 (Dansteed Way). *Crow & Rook* 3A 14
H4 (Dansteed Way). *Pen & Wil* 4G 11
H5 (Portway). *Crow & Gt Hm* 4A 14
H5 (Portway). *Mil K* 7E 10
H5 (Portway). *Wil P* 3B 12
H6 (Childs Way). *B'ton* 4E 12
H6 (Childs Way). *Mil K & B'ton* 1G 15
H6 (Childs Way). *Shen C & Mil K* 4E 14
H6 (Childs Way). *Wcrft & Shen B* 7B 14
H7 (Chaffron Way). *Mil K & Shen B* 2C 20
H7 (Chaffron Way). *Shen L & Lead* 5F 15
H7 (Chaffron Way). *Spfld & Kgstn* 7E 12
H8 (Standing Way). *B'hll & Wltn* 7H 15
H8 (Standing Way). *Mil K & Redm* 4B 20
H8 (Standing Way). *Monk & Ken H* 1E 16
H9 (Groveway). *A'lnd & Wltn* 5A 16
H10 (Bletcham Way). *Ble & C'ctte* 7A 16
H10 (Bletcham Way). *C'ctte* 6E 16
Haberley Mead. *Bdwl* 5E 10

Haddington Clo. *Ble* . . . 7H **15**
Haddon. *Gt Hm* . . . 1C **14**
Hadley Pl. *Bdwl C* . . . 5F **11**
Hadrians Dri. *Ban* . . . 2D **10**
Hainault Av. *Gif P* . . . 6E **6**
Haithwaite. *Two M* . . . 7A **10**
Haldene. *Two M* . . . 6B **10**
Hale Av. *Sto S* . . . 3F **9**
Hall Clo. *Maid M* . . . 1D **28**
Hall Clo. *Old S* . . . 2C **8**
Halswell Pl. *Mdltn* . . . 5F **13**
Haltonchesters. *Ban* . . . 2C **10**
Haly Clo. *Bdwl* . . . 4D **10**
Hambleton Gro. *Em V* . . . 7E **14**
Hamburgh Cft. *Shen B* . . . 6E **14**
Hamilton Ct. L Buz . . . 4F 27
(off Lammas Wlk.)
Hamilton La. *Ble* . . . 4F **21**
Hamlins. *Cof H* . . . 3K **15**
Hammerwood Ga. *Ken H* . . . 2F **17**
Hammond Cres. *Wil P* . . . 2A **12**
Hampshire Ct. *Ble* . . . 7J **15**
Hampson Clo. *Bdwl* . . . 3D **10**
Hampstead Ga. *Bdwl C* . . . 5F **11**
Hampton. *Gt Hm* . . . 1D **14**
Handel Mead. *Old F* . . . 4K **17**
Hanmer Rd. *Simp* . . . 4D **16**
Hanover Ct. *L Buz* . . . 4C **26**
Hanover Ct. *Stant* . . . 1G **11**
Hanscomb Clo. *Wool* . . . 6B **12**
Hansen Cft. *Shen L* . . . 4E **14**
Hanslope Rd. *Cast* . . . 1B **4**
Harborne Ct. *Two M* . . . 6K **9**
Harby Clo. *Em V* . . . 1F **21**
Harcourt. *Bdwl* . . . 5D **10**
Harcourt Clo. *L Buz* . . . 4D **26**
Harding Rd. *Brin* . . . 1H **17**
Hardwick M. *Wbrn S* . . . 6C **18**
Hardwick Pl. *Wbrn S* . . . 5C **18**
Hardwick Rd. *Wbrn S* . . . 5C **18**
Harebell Clo. *Wal T* . . . 4G **17**
Hare Clo. *Buck* . . . 5D **28**
Hareden Cft. *Em V* . . . 7E **14**
Hargreaves Nook. *Blak* . . . 5E **6**
Harkness Clo. *Ble* . . . 4C **22**
Harlans Clo. *Eag* . . . 1A **16**
Harlech Pl. *Ble* . . . 3H **21**
Harlequin Pl. *Shen B* . . . 6C **14**
Harlestone Ct. *Gif P* . . . 6E **6**
Harmill Ind. Est. *L Buz* . . . 7F **27**
(Chartmoor Rd.)
Harmill Ind. Est. *L Buz* . . . 6F **27**
(Grovebury Rd.)
Harmony Row. *L Buz* . . . 6K **27**
Harnett Dri. *Wol M* . . . 2G **9**
Harpers La. *Gt Lin* . . . 7D **6**
Harrier Ct. *Eag* . . . 1K **15**
Harrier Dri. *Eag* . . . 1K **15**
Harrison Clo. *Know* . . . 3G **15**
Harrowden. *Brad* . . . 1E **10**
Harrow Rd. *L Buz* . . . 5G **27**
Hartdames. *Shen B* . . . 6D **14**
Hartfield Clo. *Ken H* . . . 2F **17**
Hartington Gro. *Em V* . . . 6E **14**
Hartland Av. *Tat* . . . 2E **20**
Hartley. *Gt Lin* . . . 7C **6**
Hartwell Cres. *L Buz* . . . 4F **27**
Hartwell Gro. *L Buz* . . . 4F **27**
Hartwort Clo. *Wal T* . . . 3G **17**
Harvard Clo. *Gif P* . . . 5D **6**
Harvester Clo. *Grnly* . . . 3J **9**
Harvester Ct. *L Buz* . . . 4J **27**
Harwood St. *New B* . . . 1D **10**
Hasgill Ct. *Hee* . . . 4E **10**
Haslow Ct. *Two M* . . . 5B **10**
Hastings. *Sto S* . . . 3F **9**
Hatchlands. *Gt Hm* . . . 7C **10**
Hathaway Ct. *Crow* . . . 2B **14**
Hatton. *Tin B* . . . 3C **16**
Hauksbee Gdns. *Shen L* . . . 4F **15**
HAVERSHAM. . . . 5G 5
Haversham Rd. *Hans* . . . 7F **5**
Haversham Roundabout (Junct.) . . . 7F 5
Hawkhurst Ga. *Ken H* . . . 2E **16**
Hawkins Clo. *Sto S* . . . 3E **8**
Hawkmoor Clo. *Eag* . . . 1A **16**
Hawkridge. *Furz* . . . 6H **15**
Hawkshead Dri. *Em V* . . . 6F **15**
Hawkwell Est. *Old S* . . . 2C **8**
Hawthorn Av. *Ble* . . . 2D **22**
Hawthorne Clo. *L Buz* . . . 3D **26**
Haydock Clo. *Ble* . . . 4F **21**
Hayes Rd. *Dean* . . . 4A **8**
Hayman Ri. *Crow* . . . 2A **14**
Haynes Clo. *Bow B* . . . 7J **17**
Haythrop Clo. *Dow P* . . . 2A **12**
Haywards Cft. *Grnly* . . . 3J **9**
HAZELEY. . . . 4A 14
Hazel Gro. *Ble* . . . 3C **22**
Hazelhurst. *Em V* . . . 7E **14**
Hazelwood. *Gt Lin* . . . 7D **6**
Hazley Wlk. *Buck* . . . 3E **28**
Heaney Clo. *Newp P* . . . 2E **6**
Hearne Pl. *Oldb* . . . 1J **15**
HEATH AND REACH. . . . 5F 25
Heath Clo. *Wbrn S* . . . 6D **18**
Heath Ct. *L Buz* . . . 7D **24**
Heather Bank. *Wbrn S* . . . 7B **18**
Heathercroft. *Gt Lin* . . . 1H **11**
Heathfield. *Sta B* . . . 4B **10**
Heath Grn. *H&R* . . . 5F **25**
Heath La. *Wbrn S* . . . 7B **18**
Heath Pk. Dri. *L Buz* . . . 1F **27**
Heath Pk. Rd. *L Buz* . . . 7F **25**
Heath Rd. *Gt Bri* . . . 1C **24**
Heath Rd. *L Buz* . . . 3F **27**
Heath, The. *L Buz* . . . 7D **24**
Heathwood Clo. *L Buz* . . . 7F **25**
Hedgerows, The. *Furz* . . . 5H **15**
Hedges Ct. *Shen C* . . . 3E **14**
Hedingham Ct. *Shen C* . . . 4D **14**
HEELANDS. . . . 3E 10
Hele Ct. *C'ctte* . . . 6G **17**
Helford Pl. *Fish* . . . 7K **11**
Helmsley Ri. *Kgsmd* . . . 1B **20**
Helston Pl. *Fish* . . . 7J **11**
Hemingway Clo. *Newp P* . . . 3D **6**
Henders. *Sto S* . . . 3F **9**
Hendrix Dri. *Crow* . . . 2A **14**
Hengistbury La. *Tat* . . . 1C **20**
Hensman Ga. *Mil V* . . . 4E **12**
Hepleswell. *Two M* . . . 7B **10**
Hercules Clo. *L Buz* . . . 3H **27**
Herdman Clo. *Grnly* . . . 3J **9**
Heron Ho. *Ken H* . . . 1F **17**
Herriot Clo. *Newp P* . . . 2E **6**
Hertford Pl. *Ble* . . . 7J **15**
Hetton Clo. *Hee* . . . 4F **11**
Hexham Gdns. *Ble* . . . 4G **21**
Heybridge Cres. *C'ctte* . . . 6F **17**
Heydon Ct. *Brad* . . . 1D **10**
Hide, The. *Neth* . . . 3B **16**
Higgs Ct. *Loug* . . . 1D **14**
Highbury La. *Cam P* . . . 5K **11**
Highcroft. *L Buz* . . . 5H **27**
Highfield Clo. *Ble* . . . 7K **15**
Highfield Clo. *Newp P* . . . 3J **7**
Highfield Cres. *Brog* . . . 1K **19**
Highfield Rd. *L Buz* . . . 4H **27**
Highgate Over. *Wal T* . . . 2G **17**
Highgrove Hill. *Gt Hm* . . . 1C **14**
High Halden. *Ken H* . . . 1G **17**
Highland Clo. *Ble* . . . 6J **15**
Highlands Rd. *Buck* . . . 2D **28**
Highley Gro. *Mdltn* . . . 5G **13**
High Pk. Dri. *Wol M* . . . 2H **9**
High St. *Dean* . . . 7B **8**
High St. *Gt Lin* . . . 6C **6**
High St. *Hav* . . . 5H **5**
High St. *L Buz* . . . 4E **26**
High St. *New B* . . . 1C **10**
High St. *Newp P* . . . 3G **7**
High St. *Sto S* . . . 2D **8**
High St. *Wbrn S* . . . 5C **18**
High St. *Buck* . . . 3C **28**
High St., The. *Two M* . . . 6K **9**
(in two parts)
High Trees. *Eag* . . . 1A **16**
Highveer Cft. *Tat* . . . 1E **20**
High Vw. *Dean* . . . 6A **8**
High Vw. *L Bri* . . . 5J **23**
Hillbeck Gro. *Mdltn* . . . 5D **12**
Hillcrest Clo. *Loug* . . . 3E **14**
Hillcrest Ri. *Buck* . . . 7D **28**
Hillcrest Way. *Buck* . . . 7D **28**
Hillesden Way. *Buck* . . . 3D **28**
Hilliard Dri. *Bdwl* . . . 5D **10**
Hills Clo. *Gt Lin* . . . 1H **11**
Hillside Rd. *L Buz* . . . 1F **27**
Hilltop Av. *Buck* . . . 2D **28**
HILL VIEW. . . . 4E 6
Hill Vw. *Newp P* . . . 4E **6**
Hillway. *Wbrn S* . . . 3B **18**
Hillyer Ct. *Pear B* . . . 7B **12**
Himley Grn. *L Buz* . . . 5B **26**
Hindemith Gdns. *Old F* . . . 4J **17**
Hindhead Knoll. *Wal T* . . . 3G **17**
Hinton Clo. *L Buz* . . . 4J **27**
Hinton Ct. *Ble* . . . 1J **21**
Hoathly M. *Ken H* . . . 1G **17**
Hobart Cres. *Wil P* . . . 2A **12**
Hockliffe Brae. *Wal T* . . . 4G **17**
Hockliffe Rd. *L Buz* . . . 4G **27**
Hockliffe St. *L Buz* . . . 4F **27**
Hodder La. *Em V* . . . 7F **15**
HODGE LEA. . . . 4A 10
Hodge Lea La. *Hod L* . . . 4K **9**
Hodge Lea Roundabout (Junct.) . . . 3A 10
Hodgemore Ct. *Gif P* . . . 5D **6**
Hogarths Ct. *Gt Hm* . . . 7C **10**
Holborn Cres. *Tat* . . . 2D **20**
Holdom Av. *Ble* . . . 7C **16**
Holland Way. *Newp P* . . . 4G **7**
Holliday Clo. *Crow* . . . 3B **14**
Hollin La. *Sta B* . . . 4B **10**
Hollinwell Clo. *Ble* . . . 1G **21**
Hollister Chase. *Shen L* . . . 5E **14**
Holloway Dri. *Buck* . . . 2D **28**
Holly Clo. *Crow* . . . 3B **14**
Holly Wlk. *Wbrn S* . . . 7C **18**
Holmewood. *Furz* . . . 5H **15**
Holmfield Clo. *Tin B* . . . 4D **16**
Holmgate. *Loug* . . . 1D **14**
Holst Cres. *Brow W* . . . 5H **17**
Holt Gro. *Loug* . . . 1D **14**
Holton Hill. *Em V* . . . 7F **15**
Holton Rd. *Buck* . . . 2C **28**
Holts Grn. *Gt Bri* . . . 1B **24**
Holt, The. *Buck* . . . 5D **28**
Holyhead Cres. *Tat* . . . 2F **21**
Holyrood. *Gt Hm* . . . 1B **14**
Holy Thorn La. *Shen C* . . . 4D **14**
Holywell Pl. *Spfld* . . . 6B **12**
Home Clo. *Ble* . . . 7A **16**
Home Farm. *Newt L* . . . 6G **21**
Home Fld. *C'ctte* . . . 6F **17**
Homeground. *Buck* . . . 6D **28**
Homestall. *Buck* . . . 6C **28**
Homestall Clo. *Loug* . . . 2D **14**
Homestead, The. *Shen C* . . . 3D **14**
Homeward Ct. *Loug* . . . 2D **14**
Honey Hill Dri. *Dean* . . . 6B **8**
Honeypot Clo. *Bdwl* . . . 4E **10**
Honiton Ct. Wav G . . . 2H 17
(off Isaacson Dri.)
Hooke, The. *Wil* . . . 1C **12**
Hooper Ga. *Wil* . . . 1B **12**
Hopkins Clo. *Mil V* . . . 6F **13**
Hoppers Mdw. *Loug* . . . 1D **14**
Hornbeam. *Newp P* . . . 4E **6**
Hornbeam Clo. *L Buz* . . . 3H **27**
Hornby Chase. *Em V* . . . 7E **14**
Horners Cft. *Wol* . . . 3K **9**
Horn La. *Sto S* . . . 3E **8**
Horsefair Grn. *Sto S* . . . 3E **8**
Horsepond. *Gt Bri* . . . 1B **24**
Horsepool La. *Hus C* . . . 5H **19**
Horton Ga. *Gif P* . . . 5D **6**
Horwood Ct. *Ble* . . . 7C **16**
Hospital Roundabout (Junct.) . . . 3A 16
Houghton Ct. *Gt Hm* . . . 1C **14**
Housman Clo. *Newp P* . . . 2E **6**

Howard Way. *Int P* 4K **7**
Howe Ct. *Mil V* 5F **13**
Howe Rock Pl. *Tat* 1E **20**
Hoylake Clo. *Ble* 3G **21**
Hoyton Ga. *Crow* 3A **14**
Hubbard Clo. *Buck* 3E **28**
Huckleberry Clo. *Wal T* 3G **17**
Hudson La. *Crow* 2A **14**
Humber Way. *Ble* 1H **21**
Hungerford Ho. Em V *1G* ***21***
(off Eastbury Ct.)
Hunsbury Chase. *Mdltn* 5F **13**
Hunsdon Clo. *Stant F* 2G **11**
Hunstanton Way. *Ble* 2G **21**
Hunter Dri. *Ble* 3B **22**
(in two parts)
Hunters Reach. *Bdwl* 5D **10**
Hunter St. *Buck* 5B **28**
Huntingbrooke. *Gt Hm* 1C **14**
Huntingdon Cres. *Ble* 4F **21**
Huntsman Gro. *Blak* 5E **6**
Hurley Cft. *Monk* 7G **13**
Hurlstone Gro. *Furz* 6G **15**
HUSBORNE CRAWLEY. 5K 19
Hutchings Clo. *Loug* 1D **14**
Hutton Av. *Oldb* 7H **11**
Hutton Way. *Wbrn S* 4C **18**
Huxley Clo. *Newp P* 3D **6**
Hyde Clo. *Newp P* 5G **7**
Hydrus Dri. *L Buz* 3J **27**
Hythe, The. *Two M* 5A **10**

I

Ibstone Av. *Bdwl C* 4F **11**
Illingworth Pl. *Oldb* 1J **15**
Ingleton Clo. *Hee* 4F **11**
Innholder Ct. *Nea H* 2J **11**
Inverness Clo. *Ble* 7J **15**
Ireland Clo. *Brow W* 5J **17**
Ironmonger Ct. *Nea H* 2J **11**
Irving Dale. *Old F* 4K **17**
Isaacson Dri. *Wav G* 3H **17**
Isis Wlk. *Ble* 1H **21**
Isis Wlk. *L Buz* 7G **25**
Islingbrook. *Shen B* 6E **14**
Ivester Ct. *L Buz* 5D **26**
Ivy Clo. *Newp P* 3J **7**
Ivy La. *Gt Bri* 3B **24**
Ivy La. *Newt L* 7F **21**

J

Jacobs Clo. *Stant* 1G **11**
James Way. *Ble* 1A **22**
Japonica La. *Wil P* 2B **12**
Jarman Clo. *Buck* 4E **28**
Jeeves Clo. *Pear B* 2B **16**
Jenkins Clo. *Shen C* 4C **14**
Jenna Way. *Int P* 4K **7**
Jennings. *Stant* 1F **11**
Jerrard Clo. *L Buz* 5J **27**
Jersey Rd. *Wol* 1K **9**
John Horncapps La. *Gt Bri* 7H **23**
Johnston Pl. *Oldb* 1H **15**
Jonathans. *Cof H* 2K **15**
Jonathans Ct. *Cof H* 3K **15**
Joules Ct. *Shen L* 4F **15**
Jubilee Ter. *Sto S* 3F **9**
Judges La. *L Buz* 5E **26**
Juniper Gdns. *Wal T* 2G **17**
Jupiter Dri. *L Buz* 3J **27**

K

Kalman Gdns. *Old F* 4J **17**
Kaplan Clo. *Shen L* 4E **14**
Katherine Clo. *Wltn P* 5F **17**
Katrine Pl. *Ble* 5C **22**
Keasden Ct. *Em V* 7E **14**
Keaton Clo. *Crow* 2A **14**
Keats Clo. *Newp P* 3E **6**
Keats Way. *Ble* 3J **21**
Kellan Dri. *Fish* 7K **11**
Keller Clo. *Kil F* 6J **9**
Kelso Clo. *Ble* 4G **21**
Kelvin Dri. *Know* 3F **15**
Kemble Ct. *Dow P* 2A **12**
Kempton Gdns. *Ble* 4G **21**
Kenchester. *Ban* 3C **10**
Kendal Gdns. *L Buz* 4B **26**
Kendall Pl. *Med* 4B **14**
Kenilworth Dri. *Ble* 3H **21**
Kennedy Ct. L Buz *4E* ***26***
(off Bassett Rd.)
Kennet Dri. *Ble* 2H **21**
Kennet Pl. *Ble* 2H **21**
Kennington Clo. *Newp P* 4F **7**
Kensington Dri. *Gt Hm* 7C **10**
KENTS HILL. 2G 17
KENTS HILL PARK. 2F 17
Kents Hill Roundabout (Junct.) 1E 16
Kents Rd. *Stant* 7B **6**
Kenwell Ct. *Wool* 5B **12**
Kenwood Ga. *Spfld* 5A **12**
Keppel Av. *Hav* 5F **5**
Kepwick. *Two M* 7B **10**
Kercroft. *Two M* 6B **10**
Kernow Cres. *Fish* 7K **11**
Kerria Pl. *Ble* 6K **15**
Kersey. *Stant* 7A **6**
Kestrel Ho. *Ken H* 1F **17**
Kestrel Way. *Buck* 5D **28**
Ketelbey Nook. *Old F* 4J **17**
Ketton Clo. *Wil* 1C **12**
Kew Ct. *Gt Hm* 7C **10**
Keyes Way. *Buck* 2D **28**
Keynes Clo. *Newp P* 3J **7**
Khasiaberry. *Wal T* 4G **17**
Kidd Clo. *Crow* 3B **14**
Kidderminster Wlk. *Mdltn* 6G **13**
Kildonan Pl. *Hod L* 4A **10**
KILN FARM. 5K 9
Kiln Farm Ind. Est. *Kil F* 5K **9**
Kiln Farm Roundabout (Junct.) 5H 9
Kilwinning Dri. *Monk* 7E **12**
Kimbolton Ct. *Gif P* 7E **6**
Kincardine Dri. *Ble* 6J **15**
Kindermann Ct. *Shen L* 4E **14**
Kindleton. *Gt Lin* 7D **6**
King Charles Clo. *Buck* 2D **28**
King Edward St. *New B* 1C **10**
Kingfisher Rd. *Buck* 5D **28**
King George Cres. *Sto S* 2F **9**
Kingsbridge. *Furz* 7G **15**
Kingsfold. *Brad* 1E **10**
Kingshill Dri. *Dean* 6B **8**
Kingsley Clo. *Newp P* 3D **6**
KINGSMEAD. 7B 14
Kingsmead Roundabout (Junct.) 2C 20
Kingsoe Leys. *Mdltn* 6F **13**
KINGSTON. 7H 13
Kingston Av. *Sto S* 3F **9**
Kingston Cen. 7H **13**
Kingston Ind. Est. *Kgstn* 7H **13**
Kingston Roundabout (Junct.) 1J 17
King St. *L Buz* 3F **27**
King St. *Sto S* 2F **9**
Kinloch Pl. *Ble* 5C **22**
Kinnear Clo. *Crow* 2A **14**
Kinross Dri. *Ble* 7H **15**
Kipling Dri. *Newp P* 3D **6**
Kipling Rd. *Ble* 3K **21**
Kirkeby Clo. *Stant F* 2G **11**
Kirke Clo. *Shen C* 4D **14**
Kirkham Ct. *Loug* 1F **15**
Kirkstall Pl. *Oldb* 1G **15**
Kirtlington. *Dow P* 3A **12**
Kite Hill. *Eag* 1A **16**
Kiteley's Grn. *L Buz* 3H **27**
Knapp Ga. *Shen C* 2C **14**
Knaves Hill. *L Buz* 3C **26**
Knebworth Ga. *Gif P* 6E **6**
Knebworth Roundabout (Junct.) 6E 6
Knights Clo. *Gt Bri* 1C **24**
Knoll, The. *Wbrn S* 7B **18**
Knowles Grn. *Ble* 3B **22**
Knowl Ga. *Loug* 2F **15**
KNOWLHILL. 3F 15
Knowlhill Roundabout (Junct.) 3F 15
Knox Bri. *Ken H* 1G **17**
Krohn Clo. *Buck* 4E **28**
Krypton Clo. *Shen L* 4F **15**

L

Laburnum Ct. *L Buz* 4E **26**
Laburnum Gro. *Ble* 3D **22**
Labyrinth Maze. 2C 12
Lacy Dri. *Bol P* 1K **11**
(in two parts)
Laggan Ct. *Ble* 6C **22**
Lagonda Clo. *Newp P* 3J **7**
Laidon Clo. *Ble* 6C **22**
Laker Ct. *Oldb* 2H **15**
Lakeside Roundabout (Junct.) 4B 12
Lakes La. *Newp P* 1D **6**
Lake St. *L Buz* 5F **27**
Lamb Clo. *Newp P* 3E **6**
Lamberhurst Gro. *Ken H* 1F **17**
Lamberts Cft. *Grnly* 3K **9**
Lamb La. *Wav G* 2H **17**
Lambourn Ct. *Em V* 7G **15**
Lammas. *B'hll* 4K **15**
(in four parts)
Lammas Wlk. *L Buz* 4F **27**
Lampitts Cross. *Eag* 3A **16**
Lamport Ct. *Gt Hm* 1D **14**
Lamva Ct. *Sto S* 3G **9**
Lancaster Ga. *Ble* 3H **21**
Landrace Ct. *Shen B* 6C **14**
Landsborough Ga. *Wil* 1B **12**
Lanercost Cres. *Monk* 7G **13**
Lane's End. *H&R* 6F **25**
Lanfranc Gdns. *Bol P* 1A **12**
Langcliffe Dri. *Hee* 4E **10**
Langdale Clo. *Ble* 6C **22**
Langerstone La. *Tat* 1E **20**
Langford Pl. *C'ctte* 6F **17**
Langland Rd. *Neth* 3B **16**
Langton Dri. *Two M* 5B **10**
Lanner Wlk. Eag *1A* ***16***
(off Montagu Dri.)
Lanthorn Clo. *Nea H* 2H **11**
Lapwing Ho. *Ken H* 1F **17**
Larch Gro. *Ble* 3C **22**
Lark Clo. *Buck* 5D **28**
Larkin Clo. *Newp P* 2E **6**
Larkspur Av. *Conn* 3H **11**
Larwood Pl. *Oldb* 7J **11**
Lasborough Rd. *Kgstn* 7H **13**
Lascelles Clo. *Bol P* 1A **12**
Laser Clo. *Shen L* 3F **15**
Lastingham Gro. *Em V* 7E **14**
LATHBURY. 1G 7
Latimer. *Sto S* 4F **9**
Launceston Ct. *Shen C* 3E **14**
Launde. *Monk* 7G **13**
Laurel Clo. *Crow* 2A **14**
Laurels, The. *Ble* 1C **22**
Lavender Gro. *Wal T* 4F **17**
Lawnsmead Gdns. *Newp P* 2H **7**
Lawrence Wlk. *Newp P* 2D **6**
Lawson Pl. *Shen L* 4E **14**
Leaberry. *New B* 7J **5**
LEADENHALL. 2H 15
Leadenhall Roundabout (Junct.) 2H 15
Leafield Ri. *Two M* 6A **10**
Learoyd Way. *L Buz* 5J **27**
Leary Cres. *Newp P* 3J **7**
Leasowe Pl. *Bdwl C* 5F **11**
Ledburn Gro. *L Buz* 5D **26**
Ledbury. *Gt Lin* 6B **6**
LEEDON. 5H 27
Leedon Furlong. *L Buz* 4H **27**
Leigh Hill. *Em V* 7G **15**
LEIGHTON BUZZARD. 4F 27

LEIGHTON BUZZARD STATION. **4D 26**
Leighton Buzzard Narrow Gauge Railway. 2H 27
Leighton Rd. *L Buz* 3J **27**
(Hockliffe Rd.)
Leighton Rd. *L Buz* 2A **26**
(Soulbury Rd.)
Leighton Rd. *L Buz* 5K **27**
(Stanbridge Rd.)
Leighton Rd. *L Buz* 4E **26**
(Vimy Rd.)
Leighton Rd. *L Buz* 7A **26**
(Wing Rd.)
Lenborough Clo. *Buck* 5B **28**
Lenborough Ct. *Wool* 6B **12**
Lenborough Rd. *Buck* 5B **28**
(in two parts)
Lennon Dri. *Crow* 2B **14**
Lennox Rd. *Ble* 2B **22**
Lenthall Clo. *Bdwl* 4D **10**
Leominster Ga. *Monk* 7F **13**
Leonardslee. *Wcrft* 7C **14**
Leon Av. *Ble* 2C **22**
Leopard Dri. *Pen* 1K **11**
Leopold Rd. *L Buz* 4C **26**
Lester Ct. *Wav G* 2H **17**
Leven Clo. *Ble* 5C **22**
Leven Clo. *L Buz* 4A **26**
Lewes Ho. Ble *3G 21*
(off Chester Clo.)
Lewis Clo. *Newp P* 2D **6**
Leyland Pl. *Oldb* 1H **15**
Leys Rd. *Loug* 1E **14**
Leys, The. *Wbrn S* 5C **18**
Lichfield Down. *Wal T* 3G **17**
Liddell Way. *L Buz* 6J **27**
Lightfoot Ct. *Wltn P* 4E **16**
Lilac Clo. *Newt L* 7F **21**
Lilleshall Av. *Monk* 7E **12**
Limbaud Clo. *Wltn P* 4F **17**
Lime Av. *Buck* 5E **28**
Lime Clo. *Newp P* 3F **7**
Lime Gro. *L Buz* 3D **26**
Lime Gro. *Wbrn S* 5C **18**
Limerick La. *Mil K* 5A **12**
Limes, The. *Ble* 2D **22**
Limes, The. *Sto S* 3F **9**
Linceslade Gro. *Loug* 1D **14**
Lincoln. *Stant* 7A **6**
Lincombe Slade. *L Buz* 3D **26**
Linden Gro. *Gt Lin* 7C **6**
LINDEN VILLAGE. **4D 28**
Lindisfarne Dri. *Monk* 7F **13**
Lindores Cft. *Monk* 7G **13**
Linford Av. *Newp P* 3E **6**
Linford La. *Wil* 1C **12**
Linford La. *Wool* 5B **12**
LINFORD WOOD. **2H 11**
Linford Wood Bus. Cen. *Lin W* 2H **11**
Lingfield. *Sta B* 4B **10**
Linney Ct. *Tat* 1D **20**
LINSLADE. **4C 26**
Linslade Rd. *H&R* 6E **24**
Lintlaw Pl. *Ble* 6K **15**
Linton Clo. *Hee* 4F **11**
Linwood Gro. *L Buz* 5G **27**
Linx, The. *Ble* 7K **15**
Lipscombe Dri. *Buck* 3D **28**
Lipscomb La. *Shen C* 2D **14**
Lissel Rd. *Simp* 4D **16**
Little Balmer. *Buck* 6D **28**
LITTLE BRICKHILL. **4J 23**
Lit. Brickhill La. *Gt Bri* 7J **23**
Littlecote. *Gt Hm* 7D **10**
Little Dunmow. *Monk* 7F **13**
Little Habton. *Em V* 7E **14**
Little Hame. *Mil V* 5E **12**
LITTLE LINFORD. **2A 6**
Lit. Linford La. *Newp P* 2A **6**
Little London. *Dean* 7B **8**
Little Meadow. *Loug* 3E **14**
Littlemere. *Two M* 7A **10**
Little Stanton. *Stant* 1G **11**
Little Stocking. *Shen B* 6D **14**
Livesey Hill. *Shen L* 4E **14**
Livingstone Dri. *N'lnds* 3B **12**
Lloyds. *Cof H* 2K **15**
Lloyd's Ct. *Mil K* 5H **11**
Lochy Dri. *L Buz* 4B **26**
Locke Rd. *Ble* 2B **22**
(in two parts)
Lock La. *Cosg* 5A **4**
Lockton Ct. *Em V* 6E **14**
Lock Vw. Cotts. Ble *1D 22*
(off Lock Vw. La.)
Lock Vw. La. *Ble* 1D **22**
Lodge Farm Ct. *Cast* 1B **4**
Lodge Ga. *Gt Lin* 1H **11**
Lodge Pk., The. *Newp P* 3G **7**
Lodge Roundabout (Junct.) **7C 10**
Logan Rock. *Tat* 2E **20**
Lomond Dri. *Ble* 7B **22**
Lomond Dri. *L Buz* 4A **26**
London End. *Newt L* 6G **21**
London End La. *Bow B* 1J **23**
London Rd. *Loug* 2D **14**
London Rd. *Newp P* . . . . 5K **7** & 1F **13**
London Rd. *Old S* 1C **8**
London Rd. *Sto S* 3E **8**
London Rd. *Brou* 3F **13**
London Rd. *Buck* 4C **28**
Long Ayres. *C'ctte* 6F **17**
Longcross. *Pen* 2K **11**
Longfellow Dri. *Newp P* 3E **6**
Longhedge. *C'ctte* 7F **17**
Longleat Ct. *Gt Hm* 7C **10**
Longpeak Clo. *Tat* 1E **20**
Longville. *Old Wo* 1J **9**
Lords Clo. *Ble* 1B **22**
Loriner Pl. *Dow B* 2K **11**
Loseley Ct. *Gt Hm* 7C **10**
Lothersdale. *Hee* 3E **10**
Lothian Clo. *Ble* 7H **15**
LOUGHTON. **2D 14**
LOUGHTON LODGE. **7C 10**
Loughton Manor Equestrian Cen. 2F 14
Loughton Rd. *Bdwl* 4D **10**
Loughton Roundabout (Junct.) **1C 14**
Lovat Mdw. Cvn. Site. *Newp P* 4J **7**
Lovat St. *Newp P* 3G **7**
Lovatt Dri. *Ble* 2G **21**
Lovent Dri. *L Buz* 4G **27**
Lwr. Eighth St. *Mil K* 6H **11**
LOWER END. **1D 18**
Lower End. *Newt L* 7F **21**
Lwr. End Rd. *Wav* 1A **18**
Lwr. Fourth St. *Mil K* 7G **11**
Lwr. Ninth St. *Mil K* 6H **11**
Lwr. Second St. *Mil K* 7G **11**
(in two parts)
Lwr. Stonehayes. *Gt Lin* 1J **11**
Lwr. Tenth St. *Mil K* 6H **11**
Lwr. Third St. *Mil K* 7G **11**
(in two parts)
Lwr. Twelfth St. *Mil K* 5J **11**
Lower Way. *Gt Bri* 1B **24**
LOWER WEALD. **6E 8**
Lowick Pl. *Em V* 7E **14**
Lowland Rd. *Tat* 2F **21**
Lowndes Gro. *Shen C* 2C **14**
Loxbeare Dri. *Furz* 5F **15**
Loyne Clo. *L Buz* 3B **26**
Lucas Pl. *Woug G* 1C **16**
Luccombe. *Furz* 6G **15**
Lucy La. *Loug* 1E **14**
Ludgate. *Lead* 2H **15**
Ludlow Clo. *Ble* 3J **21**
Lufford Pk. *Gt Lin* 6D **6**
Luke Pl. *Mdltn* 5E **12**
Lullingstone Dri. *Ban P* 3B **10**
Lundholme. *Hee* 3E **10**
Luttlemarsh. *Wltn P* 4E **16**
Lutyens Gro. *Old F* 4J **17**
Luxborough Gro. *Furz* 5F **15**
Lydiard. *Gt Hm* 7B **10**
Lynmouth Cres. *Furz* 5F **15**
Lynott Clo. *Crow* 3B **14**
Lyon Rd. *Ble* 7A **16**
Lyra Gdns. *L Buz* 3J **27**
Lywood Rd. *L Buz* 5H **27**

M

McConnell Dri. *Wol* 1A **10**
McKenzie Clo. *Buck* 4C **28**
Magdalen Clo. *Sto S* 2E **8**
Magdalen Ct. *Sto S* 2E **8**
Magenta Clo. *Ble* 4C **22**
Magpie Clo. *Shen B* 5E **14**
Mahler Clo. *Brow W* 4H **17**
Maidenhead Av. *Bdwl C* 5F **11**
MAIDS MORETON. **1E 28**
Maids Moreton Av. *Buck* 3C **28**
Maidstone Rd. *Kgstn* 6H **13**
Main St. *Cosg* 5A **4**
Main St. *Maid M* 1D **28**
Malbons Ct. *Lead* 2H **15**
Malins Ga. *Gt Lin* 7C **6**
Mallard Dri. *Buck* 4D **28**
Malletts Clo. *Sto S* 3F **9**
Mallow Ga. *Conn* 4H **11**
Maltings Fld. *Cast* 2B **4**
Maltings, The. *L Buz* 5G **27**
Malton Clo. *Monk* 7E **12**
Malvern Dri. *Ful S* 4G **9**
Malvern Dri. *L Buz* 3B **26**
Mandeville Dri. *Kgstn* 6H **13**
Manifold La. *Shen B* 6D **14**
Mannock Way. *L Buz* 6J **27**
Manor Clo. *Cosg* 5A **4**
Manor Clo. *Mil V* 5E **12**
Manor Ct. *L Buz* 1C **26**
Manor Dri. *Hav* 5G **5**
Manorfields Rd. *Old S* 2C **8**
Manor Fields Sports Ground. 2E 22
Manor Gdns. *Maid M* 2D **28**
Manor Pk. *Maid M* 1E **28**
Manor Pk. Est. *Maid M* 1E **28**
Manor Rd. *Ble* 3C **22**
Manor Rd. *Newp P* 3E **6**
Manor Rd. *Newt L* 7G **21**
Manor Rd. *Old Wo* 1J **9**
Manor St. *Buck* 4B **28**
Manse Clo. *Sto S* 2E **8**
Mansel Clo. *Cosg* 5A **4**
Mansell Clo. *Shen C* 3D **14**
Manshead Ct. *Sto S* 3G **9**
Mapledean. *Sta B* 4B **10**
Mapledurham. *C'ctte* 6G **17**
Maple Gro. *Ble* 2D **22**
Maple Gro. *Wbrn S* 5B **18**
March Mdw. *Wav G* 2J **17**
Mardle Rd. *L Buz* 5D **26**
Maree Clo. *Ble* 5B **22**
Maree Clo. *L Buz* 4B **26**
Mare Leys. *Buck* 4E **28**
Margam Cres. *Monk* 7F **13**
Marigold Pl. *Conn* 4H **11**
Marina Dri. *Wol* 3A **10**
Marina Roundabout (Junct.) **2B 16**
Marjoram Pl. *Conn* 3H **11**
Markenfield Pl. *Kgsmd* 1B **20**
Market Ct. L Buz *4F 27*
(off Hockcliffe St.)
Market Hill. *Eag* 1A **16**
Market Hill. *Buck* 3C **28**
Market Sq. *L Buz* 4F **27**
Market Sq. *Sto S* 3E **8**
Market Sq. *Buck* 3C **28**
Markhams Ct. *Buck* 4C **28**
Marlborough Ct. *Lin W* 2H **11**
Marlborough Ga. *Mil K* 5J **11**
Marlborough Roundabout (Junct.) **7K 5**
Marlborough St. (V8). *Mil K & Fish* 4J **11**
(in two parts)
Marlborough St. (V8). *Neth & Simp* 3B **16**
Marlborough St. (V8). *Stant* 7A **6**
Marley Fields. *L Buz* 5J **27**
Marley Gro. *Crow* 2B **14**
Marlow Dri. *Newp P* 3E **6**
Marram Clo. *B'hll* 4K **15**

Marron La. *Wol* 3K **9**
Marshall Ct. Ind. Pk. *Ble* 1A **22**
Marshalls La. *Wool* 6B **12**
Marshaw Pl. *Em V* 7F **15**
Marsh Dri. *Gt Lin* 6D **6**
Marsh Edge. *Buck* 3D **28**
Marsh End Rd. *Newp P* 3G **7**
Marsh End Roundabout (Junct.) **5H 7**
Marshworth. *Tin B* 3C **16**
Martell Clo. *C'ctte* 5F **17**
Martin Clo. *Nea H* 2H **11**
Martin Clo. *Buck* 5E **28**
Martingale Pl. *Dow B* 3J **11**
Martins Dri., The. *L Buz* 3E **26**
Marwood Clo. *Furz* 6G **15**
Maryland Rd. *Tong* 7F **7**
Mary McManus Dri. *Buck* 3C **28**
Masefield Clo. *Newp P* 3E **6**
Masefield Gro. *Ble* 3K **21**
Maslin Dri. *B'hll* 4A **16**
Mason. *Stant* 7A **6**
Massie Clo. *Wil P* 2A **12**
Mathiesen Rd. *Brad* 2D **10**
Matilda Gdns. *Shen C* 3E **14**
Matthew Ct. *Shen C* 3E **14**
Maudsley Clo. *Shen L* 3F **15**
Maulden Gdns. *Gif P* 7E **6**
Mavoncliff Dri. *Tat* 2D **20**
Maxham. *Shen B* 6D **14**
Maybach Ct. *Shen L* 4E **14**
Mayditch Pl. *Bdwl C* 5F **11**
Mayer Gdns. *Shen L* 4F **15**
Maynard Clo. *Bdwl* 5D **10**
Meadow Gdns. *Buck* 6D **28**
Meadow La. *Mil V* 5F **13**
Meadowsweet. *Wal T* 4G **17**
Meadow Vw. *Asp G* 3E **18**
Meadow Way. *L Buz* 4J **27**
Meads Clo. *New B* 7J **5**
Meadway. *L Buz* 4H **27**
(Clipstone Cres.)
Meadway. *L Buz* 2H **27**
(Hornbeam Clo.)
Meadway. *Buck* 6C **28**
Meadway, The. *Loug* 2D **14**
Medale Rd. *B'hll* 4K **15**
MEDBOURNE. **3B 14**
Medbourne Roundabout (Junct.) **3B 14**
Medeswell. *Furz* 6H **15**
Medhurst. *Two M* 6B **10**
Medland. *Woug B* 2C **16**
Medway Clo. *Newp P* 4J **7**
Melbourne Ter. *Brad* 1D **10**
Melfort Dri. *Ble* 6C **22**
Melfort Ct. *L Buz* 5A **26**
Melick Rd. *B'hll* 5A **16**
Mellish Ct. *Ble* 7J **15**
Melrose Av. *Ble* 7J **15**
Melton. *Stant* 7A **6**
Mendelssohn Gro. *Brow W* 5H **17**
Menteith Clo. *Ble* 5B **22**
Mentmore Ct. *Gt Hm* 1C **14**
Mentmore Gdns. *L Buz* 6D **26**
Mentmore Rd. *L Buz* 7D **26**
Mentone Av. *Asp G* 5E **18**
Menzies Ct. *Shen L* 5E **14**
Mercers Dri. *Brad* 1E **10**
Merchant Pl. *Mdltn* 5D **12**
Mercury Gro. *Crow* 2B **14**
Mercury Way. *L Buz* 3J **27**
Meriland Ct. *Ble* 6D **22**
Merlewood Dri. *Shen W* 5B **14**
Merlins Ct. *L Buz* 4F **27**
(off Beaudesert)
Merlin Wlk. *Eag* 1A **16**
Mersey Clo. *Ble* 1H **21**
Mersey Way. *Ble* 1H **21**
Merthen Gro. *Tat* 2E **20**
Merton Dri. *Redm* 5K **15**
Metcalfe Gro. *Blak* 5F **7**
Michigan Dri. *Tong* 6G **7**
Mickleton. *Dow P* 2K **11**
Middlefield Clo. *Buck* 3D **28**
Middle Grn. *L Buz* 3H **27**

Middlesex Dri. *Ble* 1J **21**
Middle Slade. *Buck* 6C **28**
MIDDLETON. **5D 12**
Middleton. *Gt Lin* 1H **11**
Middleton Hall. *Mil K* 5J **11**
Middleton Swimming Pool. 4J **7**
MIDDLE WEALD. **7F 9**
Midsummer Arc. *Mil K* 6H **11**
(in two parts)
Midsummer Boulevd. *Mil K* 6H **11**
(in two parts)
Midsummer Pl. *Mil K* 6H **11**
Midsummer Roundabout (Junct.) **7F 11**
Mikern Clo. *Ble* 2B **22**
Milburn Av. *Oldb* 1H **15**
Milebush. *L Buz* 3B **26**
Milecastle. *Ban* 3D **10**
Miles Av. *L Buz* 3G **27**
Miles Clo. *Blak* 4E **6**
Milesmere. *Two M* 7A **10**
Miletree Ct. *L Buz* 3G **27**
Mile Tree Rd. *H&R* 7J **25**
Milfoil Av. *Conn* 4G **11**
Milford Av. *Sto S* 4E **8**
Millbank. *L Buz* 3E **26**
Millbank Pl. *Ken H* 1G **17**
Mill Ct. *Wol M* 3H **9**
Mill End. *Wol M* 1H **9**
Millers Clo. *L Buz* 4J **27**
Millers Way. (H2). *Ful S & Hod L* ...5H **9**
Millers Way. (H2). *Sta B & Brad* ...3A **10**
Millhayes. *Gt Lin* 7D **6**
Millholm Ri. *Simp* 4C **16**
Millington Ga. *Wil* 7H **7**
Mill La. *Sto S* 3D **8**
Mill La. *Twy* 4B **28**
Mill La. *Wbrn S* 4D **18**
Mill La. *Brad* 1D **10**
Mill La. *Wool* 5B **12**
Mill Rd. *Ble* 3C **22**
Mill Rd. *Hus C* 5K **19**
Mill Rd. *L Buz* 3F **27**
Mill Sq. *Wol M* 3H **9**
Millstream Way. *L Buz* 4E **26**
Mill St. *Newp P* 2H **7**
Mill Ter. *Wol M* 2H **9**
Mill Vw. *Cast* 2B **4**
(off Station Rd.)
Milton Dri. *Newp P* 3J **7**
Milton Gro. *Ble* 3J **21**
MILTON KEYNES. **5H 11**
Milton Keynes Bowl. 4H **15**
MILTON KEYNES CENTRAL STATION. ...**7F 11**
Milton Keynes Football Ground. ...7F **5**
MILTON KEYNES GENERAL HOSPITAL. ..2A **16**
Milton Keynes Greyhound Stadium. ..5B **16**
Milton Keynes Leisure Plaza. 1F **15**
Milton Keynes Mus. of Industrial &
Rural Life. 3A **10**
Milton Keynes Rugby Football Ground. ...4J **9**
Milton Keynes Theatre & Art Gallery. ..5J **11**
MILTON KEYNES VILLAGE. **5E 12**
Milton Keynes Water Ski Club. 6F **7**
Milton Rd. *Wil* 1C **12**
Milton Rd. *Wltn* 2E **16**
Minerva Gdns. *Wav G* 2H **17**
Minorca Gro. *Shen B* 5D **14**
Minshull Clo. *Buck* 3C **28**
Minstrel Ct. *Brad* 1E **10**
Minton Clo. *Blak* 6E **6**
Mitcham Pl. *Bdwl C* 5G **11**
Mithras Gdns. *Wav G* 3H **17**
Mitre Ct. *Buck* 5B **28**
Mitre St. *Buck* 5B **28**
Moeran Clo. *Brow W* 4H **17**
Monellan Cres. *C'ctte* 6F **17**
Monellan Gro. *C'ctte* 6F **17**
(in two parts)
MONKSTON. **7F 13**
MONKSTON PARK. **7E 12**
Monkston Roundabout (Junct.) **6G 13**
Monks Way. (H3). *Sta B* 4B **10**
Monks Way. (H3). *Stant & Tong* ...2F **11**
Monks Way. (H3). *Two M* 6K **9**

Monmouth Gro. *Kgsmd* 1B **20**
Monro Av. *Crow* 3B **14**
Montagu Dri. *Eag* 1A **16**
Montgomery Clo. *L Buz* 2G **27**
Montgomery Cres. *Bol P* 7F **7**
Moon St. *Wol* 2A **10**
Moorfield. *Newt L* 7G **21**
Moorfoot. *Ful S* 4H **9**
Moorgate. *Lead* 2J **15**
Moorhen Way. *Buck* 4D **28**
Moor Pk. *Ble* 2G **21**
Moors Clo. *Dean* 7B **8**
Morar Clo. *L Buz* 4B **26**
Moray Pl. *Ble* 7J **15**
Mordaunts Ct. *Wool* 6B **12**
Morebath Gro. *Furz* 5F **15**
Moreton Dri. *Buck* 1D **28**
Moreton Rd. *Buck* 3C **28**
Morley Cres. *Brow W* 5J **17**
Morrell Clo. *Shen C* 4E **14**
Morrison Ct. *Crow* 3B **14**
Morris Wlk. *Newp P* 3D **6**
Mortain Clo. *C'ctte* 6G **17**
Mortons Fork. *Blu B* 2C **10**
Mossdale. *Hee* 3E **10**
MOULSOE. **1J 13**
Mount Av. *Ble* 6C **16**
Mountbatten Gdns. *L Buz* 2G **17**
MOUNT FARM. **5C 16**
Mt. Farm Ind. Est. *Ble* 5C **16**
Mt. Farm Roundabout (Junct.) **5C 16**
Mounthill Av. *Old S* 1C **8**
MOUNT PLEASANT. **5B 28**
Mount Pleasant. *Asp G* 5G **19**
Mount Pleasant. *Simp* 5D **16**
Mt. Pleasant Clo. *Buck* 5B **28**
Mountsfield Clo. *Newp P* 4G **7**
Mount, The. *Asp G* 5E **18**
Mount, The. *Simp* 5D **16**
Mowbray Dri. *L Buz* 4C **26**
Mozart Clo. *Brow W* 5H **17**
Muddiford La. *Furz* 6G **15**
Muirfield Dri. *Ble* 2G **21**
Mullen Av. *Dow B* 4J **11**
Mullion Pl. *Fish* 7K **11**
Murrey Clo. *Shen L* 4F **15**
Mursley Ct. *Sto S* 3G **9**
Musgrove Pl. *Shen C* 3C **14**
Myrtle Bank. *Sta B* 3A **10**

N

Nairn Ct. *Ble* 7H **15**
Naisby Dri. *Gt Bri* 1B **24**
Naphill Pl. *Bdwl C* 5F **11**
Napier St. *Ble* 2C **22**
Narrow Path. *Wbrn S* 6C **18**
Naseby Clo. *Newp P* 4E **6**
Naseby Ct. *Brad* 2E **10**
Naseby Ct. *Buck* 2D **28**
Nash Cft. *Tat* 2E **20**
Nathanial Clo. *Shen C* 4E **14**
National Badminton Cen. 7D **10**
National Hockey Stadium. 7F **11**
Neapland. *B'hll* 4A **16**
(in two parts)
Neath Cres. *Ble* 7K **15**
NEATH HILL. **2K 11**
Neath Hill Roundabout (Junct.) **2K 11**
Nebular Ct. *L Buz* 3H **27**
Nelson Clo. *Crow* 3B **14**
Nelson Ct. *Buck* 4B **28**
Nelson Rd. *L Buz* 2G **27**
Nelson St. *Buck* 4B **28**
Nelson Clo. *Newp P* 4H **7**
Nene Dri. *Ble* 2H **21**
Neptune Gdns. *L Buz* 3J **27**
Ness Way. *Ble* 5C **22**
NETHERFIELD. **3B 16**
Netherfield Roundabout (Junct.) **2B 16**
Nether Gro. *Shen B* 6E **14**
Netley Ct. *Monk* 7F **13**
Nettlecombe. *Furz* 6F **15**

Nettleton Rd. *L Buz* 6H 27
Nevis Clo. *L Buz* 4B 26
Nevis Gro. *Ble* 5D 22
Newark Ct. *C'ctte* 6F 17
Newbolt Clo. *Newp P* 2D 6
NEW BRADWELL. **1D** 10
New Bradwell Roundabout (Junct.) **7K 5**
Newbridge Oval. *Em V* 6E 14
Newbury Ct. *Ble* 4G 21
Newby Pl. *Em V* 7E 14
NEWLANDS. **4B** 12
Newlands Roundabout (Junct.) **4B 12**
Newlyn Pl. *Fish* 6K 11
Newmans Clo. *Gt Lin* 6C 6
Newman Way. *L Buz* 4G 27
Newmarket Ct. *Kgstn* 6H 13
NEWPORT PAGNELL. **3H** 7
Newport Rd. *New B* 7G 5
Newport Rd. *Newp P* 1F 13
Newport Rd. *Wav* 1J 17
Newport Rd. *Wil* 1C 12
Newport Rd. *Woug G* 7B 12
Newport Rd. *Wool* 5B 12
New Rd. *L Buz* 4D 26
New Rd. *Cast* 2B 4
New St. *Sto S* 3E 8
NEWTON LONGVILLE. **6G** 21
Newton Rd. *Ble* 4H 21
Newton Way. *L Buz* 6J 27
Nicholas Mead. *Gt Lin* 7D 6
Nicholson Dri. *L Buz* 6J 27
Nielson Ct. *Old F* 4J 17
Nightingale Cres. *Brad* 1C 10
Nightingale Ho. *Ken H* 1F 17
Nightingale Pl. *Buck* 3D 28
Nixons Clo. *Lead* 3H 15
Noble Clo. *Pen* 1K 11
Noon Layer Dri. *Mdltn* 5D 12
Norbrek. *Two M* 6B 10
Normandy Ct. *Ble* 7H 15
Normandy Way. *Ble* 7H 15
Norrington. *Two M* 6B 10
Northampton Rd. *Old S* 1C 8
Northampton Rd. *Lath* 1H 7
Northcourt. *L Buz* 2F 27
N. Crawley Rd. *Newp P* 4K 7
Northcroft. *Shen L* 4E 14
N. Eighth St. *Mil K* 5H 11
North Elder Roundabout (Junct.) **7F 11**
N. Eleventh St. *Mil K* 5H 11
Northend Sq. *Buck* 3C 28
NORTHFIELD. **3E** 12
Northfield Dri. *N'fld* 3E 12
Northfield Roundabout (Junct.) **3F 13**
N. Fifth St. *Mil K* 6G 11
N. Fourteenth St. *Mil K* 4J 11
N. Fourth St. *Mil K* 6F 11
North Ga. *Ble* 1B 22
North Grafton Roundabout (Junct.) **6F 11**
North La. *Wltn* 2D 16
Northleigh. *Furz* 7G 15
N. Ninth St. *Mil K* 5H 11
North Overgate Roundabout (Junct.) **3K 11**
North Ridge. *Eag* 7A 12
North Row. *Mil K* 6F 11
(in four parts)
North Saxon Roundabout (Junct.) **5G 11**
North Secklow Roundabout (Junct.) **5H 11**
N. Second St. *Mil K* 6F 11
N. Seventh St. *Mil K* 6G 11
N. Sixth St. *Mil K* 6G 11
North Skeldon Roundabout (Junct.) **4K 11**
North Sq. *Newp P* 2H 7
N. Star Dri. *L Buz* 3H 27
North St. *Ble* 1B 22
North St. *L Buz* 4F 27
North St. *New B* 1D 10
North St. *Cast* 2B 4
N. Tenth St. *Mil K* 5H 11
N. Third St. *Mil K* 6F 11
N. Thirteenth St. *Mil K* 4J 11
N. Twelfth St. *Mil K* 5J 11
North Way. *Dean* 6B 8
Northwich. *Woug P* 2C 16
North Witan Roundabout (Junct.) **6F 11**
Norton Leys. *Wav G* 2H 17
Norton's Pl. *Buck* 4B 28
Nortons, The. *C'ctte* 6F 17
Norwood La. *Newp P* 4G 7
Nottingham Gro. *Ble* 1H 21
Nova Lodge. *Em V* 7E 14
Novello Cft. *Old F* 5J 17
Nuneham Gro. *Wcrft* 6C 14
Nursery Gdns. *Bdwl* 4D 10
Nutmeg Clo. *Wal T* 4G 17

O

Oak Bank Dri. *L Buz* 7F 25
Oak Ct. Mil K *6H 11*
(off Midsummer Pl.)
Oaken Head. *Em V* 7F 15
OAKGROVE. **6D** 12
Oakgrove Roundabout (Junct.) **7E 12**
Oakham Ri. *Kgsmd* 1B 20
OAKHILL. **4A** 14
Oakhill Clo. *Shen C* 3B 14
Oakhill La. *Clvtn* 7H 9
Oakhill Rd. *Shen C* 3C 14
Oakhill Rd. *Shen W* 5A 14
Oakhill Roundabout (Junct.) **4A 14**
Oakley Gdns. *Dow P* 3A 12
Oakley Grn. *L Buz* 2G 27
Oakridge. *Furz* 5H 15
Oakridge Pk. *L Buz* 6G 27
Oaks, The. *H&R* 6F 25
Oaktree Ct. *Wil* 1B 12
Oakwood Dri. *Ble* 3D 22
Oakworth Av. *Brou* 4F 13
Oatfield Gdns. *L Buz* 4J 27
Octavian Dri. *Ban* 3C 10
Odell Clo. *Woug G* 1B 16
OLDBROOK. **1H** 15
Oldbrook Boulevd. *Oldb* 1H 15
Oldcastle Cft. *Tat* 1D 20
Old Chapel M. *L Buz* 5F 27
Olde Bell La. *Loug* 2D 14
OLD FARM PARK. **3K** 17
Old Gaol, The. 3C 28
Old Groveway. *Simp* 4C 16
OLD LINSLADE. **1C** 26
Old Linslade Rd. *H&R* 1C 26
Old Rd. *L Buz* 4D 26
Old School Ct. *Buck* 4B 28
OLD STRATFORD. **1C** 8
OLD WOLVERTON. **1H** 9
Old Wolverton Rd. *Old Wo* 1H 9
Old Wolverton Roundabout (Junct.) **1H 9**
Oliver Rd. *Ble* 2B 22
Omega Ct. *L Buz* 3H 27
Onslow Ct. *C'ctte* 5F 17
Opal Dri. *N'fld* 4D 12
Open Air Theatre. 5K 11
Open University, The. 2E 16
(Walton Hall)
Orbison Ct. *Crow* 2A 14
Orchard Clo. *Ble* 3J 21
Orchard Clo. *Newt L* 7F 21
Orchard Dri. *L Buz* 5C 26
Orford Ct. *Shen C* 3D 14
Oriel Clo. *Wol* 2J 9
Orion Way. *L Buz* 3J 27
Orkney Clo. *Ble* 7J 15
Ormonde. *Stant* 1G 11
Ormsgill Ct. *Hee* 3E 10
Orne Gdns. *Bol P* 1K 11
Orpington Gro. *Shen B* 5E 14
Ortensia Dri. *Wav G* 2H 17
Orwell Clo. *Newp P* 2D 6
Osborne St. *Ble* 3B 22
Osborne St. *Wol* 2A 10
Osier La. *Shen L* 5E 14
Osprey Clo. *Eag* 1K 15
Osprey Wlk. *Buck* 5E 28
Osterley Clo. *Newp P* 4G 7
Ostlers La. *Sto S* 2E 8
Otter Clo. *Ble* 1G 21
Otters Brook. *Buck* 5D 28
Ousebank St. *Newp P* 2H 7
Ousebank Way. *Sto S* 3E 8
Ouse Valley Pk. 7G 5
Ouzel Clo. *Ble* 1H 21
Oval, The. *Oldb* 2H 15
Overend Clo. *Bdwl* 4D 10
Overend Grn. La. *L Buz* 4H 25
Overgate. *Mil K* 3A 12
(in three parts)
Overn Av. *Buck* 3B 28
Overn Clo. *Buck* 3C 28
Overn Cres. *Buck* 3B 28
Oversley Ct. *Gif P* 6E 6
Overstreet. (V9). *Nea H & Dow B* 1J 11
Oville Ct. *Shen C* 4D 14
Oxendon Ct. *L Buz* 1E 26
Oxfield Pk. Dri. *Old S* 1D 8
Oxford St. *Ble* 2B 22
Oxford St. *Sto S* 3E 8
Oxford St. *Wol* 2A 10
OXLEY PARK. **6C** 14
Oxley Pk. Roundabout (Junct.) **6B 14**
Oxman La. *Grnly* 3H 9
Oxwich Gro. *Tat* 2E 20

P

Paddocks, The. *L Buz* 4D 26
Paddock Way. *Ble* 1C 22
Padstow Av. *Fish* 7J 11
PAGE HILL. **2D** 28
Page Hill Av. *Buck* 3D 28
Page's Ind. Est. *L Buz* 6G 27
Pages Ind. Pk. *L Buz* 6F 27
Page's Pk. Station. 6G 27
Paggs Ct. *Newp P* 3H 7
Pagoda Roundabout (Junct.) **3B 12**
Palace Sq. *Lead* 2J 15
Pannier Pl. *Dow B* 3K 11
Paprika Ct. *Wal T* 4G 17
Paradise. *Newt L* 6G 21
Park Av. *Newp P* 3F 7
Park Clo. *Cosg* 5A 4
Parker Clo. *Brad* 2D 10
Park Gdns. *Ble* 1K 21
Parklands. *Gt Lin* 6B 6
Park M. *L Buz* 5F 27
Park Rd. *Sto S* 3E 8
Parkside. *Furz* 6H 15
Park Vw. *Newp P* 3H 7
Parkway. *Wbrn S* 3B 18
Parkway. *Bow B* 7J 17
Parneleys. *Mil V* 6E 12
Parrock La. *Mil V* 6F 13
Parsley Clo. *Wal T* 4G 17
Parsons Cres. *Shen L* 4F 15
Partridge Clo. *Buck* 5E 28
Pascal Dri. *Med* 4B 14
Passalewe La. *Wav G* 2H 17
PASSENHAM. **5D** 8
Passmore. *Tin B* 2B 16
Pastern Pl. *Dow B* 3K 11
Patricks La. *Dean* 7B 8
Patriot Dri. *Rook* 6E 10
Pattison La. *Wool* 5B 12
Paxton Cres. *Shen L* 4E 14
Paynes Dri. *Loug* 1D 14
Peacock Hay. *Em V* 7F 15
Peacock M. L Buz *4F 27*
(off Hockliffe St.)
Pearse Gro. *Wltn P* 5F 17
PEARTREE BRIDGE. **1B** 16
Pear Tree La. *L Buz* 3F 27
Pear Tree La. *Lead* 2J 15
Peckover Ct. *Gt Hm* 7C 10
Peebles Pl. *Ble* 6J 15
Peel Rd. *Wol* 2K 9
Peers Dri. *Asp G* 6F 19
Peers La. *Shen C* 3E 14
Pegasus Rd. *L Buz* 3H 27
Pelham Pl. *Dow B* 3J 11
Pelton Ct. *Shen L* 3E 14

Pembridge Gro. *Kgsmd* 1B **20**
Pencarrow Pl. *Fish* 6J **11**
Pendennis Ct. *Tat* 2D **20**
Pengelly Ct. *Fish* 7K **11**
Penhale Clo. *Tat* 2E **20**
Penina Clo. *Ble* 1G **21**
Penlee Ri. *Tat* 2E **20**
Penley Way. *L Buz* 6F **27**
Penmon Clo. *Monk* 7E **12**
Pennivale Clo. *L Buz* 3F **27**
Penn Rd. *Ble* 2D **22**
Pennycress Way. *Newp P* 2D **6**
Pennycuik. *Gt Bri* 1B **24**
PENNYLAND. **1K** 11
Pennyroyal. *Wal T* 2G **17**
Penryn Av. *Fish* 7K **11**
Pentewan Ga. *Fish* 6J **11**
Pentlands. *Ful S* 4G **9**
Percheron Pl. *Dow B* 3J **11**
Peregrine Clo. *Eag* 1A **16**
Permayne. *New B* 1D **10**
Perracombe. *Furz* 6H **15**
Perran Av. *Fish* 7K **11**
Pershore Cft. *Monk* 7F **13**
Perth Clo. *Ble* 7J **15**
Peterborough Ga. *Wil P* 2B **12**
Peterman Wlk. *Nea H* 2J **11**
Petersham Clo. *Newp P* 5G **7**
Pettingrew Clo. *Wal T* 3G **17**
Petworth. *Gt Hm* 1B **14**
Pevensey Clo. *Ble* 3H **21**
Peverel Dri. *Ble* 6K **15**
Phillimore Clo. *Wil P* 1A **12**
Phillip Ct. *Shen C* 3E **14**
Phoebe La. *Wav* 3K **17**
Phoenix Clo. *L Buz* 3J **27**
Phoenix Dri. *Lead* 3J **15**
Pickering Dri. *Em V* 7D **14**
Picton St. *Kgsmd* 1B **20**
Pightle Cres. *Buck* 2C **28**
Pightle, The. *Maid M* 1D **28**
Pigott Dri. *Shen C* 4D **14**
Pilgrim St. *Cam P* 4K **11**
Pimpernel Gro. *Wal T* 3G **17**
Pinders Cft. *Grnly* 3J **9**
Pine Clo. *L Buz* 1F **27**
Pinecrest M. *L Buz* 5D **26**
Pine Gro. *Wbrn S* 5B **18**
PINEHAM. **1D** 12
Pineham Roundabout (Junct.) **3D 12**
Pinewood Dri. *Ble* 3C **22**
Pinfold. *Wal T* 3G **17**
Pinkard Ct. *Woug G* 1B **16**
Pinkle Hill Rd. *H&R* 5F **25**
Pinks Clo. *Loug* 1F **15**
Pinkworthy. *Furz* 5G **15**
Pipard. *Gt Lin* 1H **11**
Pippin Clo. *Newp P* 4F **7**
Pipston Grn. *Ken H* 2G **17**
Pitcher La. *Loug* 1E **14**
Pitchford Av. *Buck* 2D **28**
Pitchford Wlk. *Buck* 3D **28**
Pitfield. *Kil F* 5J **9**
Pitt Grn. *Buck* 3E **28**
Place, The. *Mil K* 7E **10**
Plantain Ct. *Wal T* 3G **17**
Plantation Pl. *Shen B* 5D **14**
Plantation Rd. *L Buz* 6D **24**
Pleshey Clo. *Shen C* 3E **14**
Plover Clo. *Int P* 4K **7**
Plover Clo. *Buck* 5D **28**
Plowman Clo. *Grnly* 3J **9**
Plummer Haven. L Buz 2F 27
(off Broomhills Rd.)
Plumstead Av. *Bdwl C* 5G **11**
Plum Tree La. *L Buz* 3F **27**
Plymouth Gro. *Tat* 1E **20**
Point, The. *Mil K* 6H **11**
Pollys Yd. *Newp P* 3H **7**
Polmartin Ct. *Fish* 7K **11**
Polruan Pl. *Fish* 7K **11**
Pomander Cres. *Wal T* 2G **17**
Pond Clo. *Newt L* 7F **21**
Pondgate. *Ken H* 1G **17**
Poplar Clo. *L Buz* 1F **27**
Poplar Clo. *Simp* 4D **16**
Poplars Rd. *Buck* 4C **28**
Porchester Clo. *Ble* 2J **21**
Porlock La. *Furz* 5F **15**
Portchester Ct. *Gt Hm* 7C **10**
Porter's Clo. *Dean* 7B **8**
Portfield Clo. *Buck* 4C **28**
Portfields Rd. *Newp P* 3E **6**
Portfield Way. *Buck* 4D **28**
Porthcawl Grn. *Tat* 2F **21**
Porthleven Pl. *Fish* 6K **11**
Porthmellin Clo. *Tat* 2E **20**
Portishead Dri. *Tat* 2C **20**
Portland Dri. *Wil* 1B **12**
Portmarnock Clo. *Ble* 1F **21**
Portrush Clo. *Ble* 2G **21**
Portway. (H5). *Crow & Gt Hm* 4A **14**
Portway. (H5). *Mil K* 7E **10**
Portway. (H5). *Wil P* 3B **12**
Portway Roundabout (Junct.) **7E 10**
Potters La. *Kil F* 4K **9**
Pound Hill. *Gt Bri* 1B **24**
Powis La. *Wcrft* 6B **14**
Precedent Dri. *Rook* 6E **10**
Prentice Gro. *Shen B* 6E **14**
Presley Way. *Crow* 2B **14**
Preston Ct. *Wil P* 1A **12**
Prestwick Clo. *Ble* 3G **21**
Primatt Cres. *Shen C* 3E **14**
Primrose Rd. *Bdwl* 4D **10**
Princes Ct. *L Buz* 3E **26**
Princes Way. *Ble* 2B **22**
Princes Way Roundabout (Junct.) **2A 22**
Priors Pk. *Em V* 7G **15**
Priory Clo. *Newp P* 3J **7**
Priory Ct. *Sto S* 2E **8**
Priory St. *Newp P* 3H **7**
Prospect Pl. *Cast* 2B **4**
Prospect Rd. *Sto S* 3D **8**
Protheroe Fld. *Brow W* 5J **17**
Providence Pl. Bdwl 4D 10
(off Loughton Rd.)
Pulborough Clo. *Ble* 1G **21**
Pulford Rd. *L Buz* 5E **26**
Purbeck. *Stant* 1F **11**
Purcel Dri. *Newp P* 4F **7**
Purwell Wlk. *L Buz* 7G **25**
Puxley Rd. *Dean* 6A **8**
Pyke Hayes. *Two M* 5A **10**
Pyxe Ct. *Wltn P* 5F **17**

Q

Quadrans Clo. *Pen* 1K **11**
Quantock Cres. *Em V* 1G **21**
Queen Anne St. *New B* 1C **10**
Queen Eleanor St. *Sto S* 2D **8**
Queens Av. *Newp P* 3G **7**
Queens Ct. *Mil K* 5H **11**
Queen St. *L Buz* 3E **26**
Queen St. *Sto S* 2F **9**
Queensway. *Ble* 2B **22**
(in two parts)
Quilter Mdw. *Old F* 4J **17**
Quince Clo. *Wal T* 4G **17**
Quinton Dri. *Bdwl* 5D **10**

R

Rackstraw Gro. *Old F* 4J **17**
Radcliffe St. *Wol* 1A **10**
(in two parts)
Radman Gro. *Grnly* 3J **9**
Radworthy. *Furz* 6F **15**
Raglan Dri. *Kgsmd* 1B **20**
Railway Wlk. *Gt Lin* 6B **6**
Railway Wlk. *Newp P* 3F **7**
Rainbow Dri. *Lead* 2J **15**
(in two parts)
Rainsborough. *Gif P* 7E **6**
Ramsay Clo. *Bdwl* 5E **10**
(in five parts)
Ramsgill Ct. *Hee* 4F **11**
Ramsons Av. *Conn* 4H **11**
Ramsthorn Gro. *Wal T* 3G **17**
Randolph Clo. *Brad* 2D **10**
Ranelagh Gdns. *Newp P* 5G **7**
Rangers Ct. *Gt Hm* 7C **10**
Rannoch Clo. *Ble* 5C **22**
Rannock Gdns. *L Buz* 4B **26**
Rashleigh Pl. *Oldb* 2H **15**
Rathbone Clo. *Crow* 2B **14**
Ravel Clo. *Old F* 3J **17**
Ravenglass Cft. *Mdltn* 5G **13**
Ravensbourne Pl. *Spfld* 6A **12**
Ravenscar Ct. *Em V* 1E **20**
Ravigill Pl. *Hod L* 4A **10**
Rawlins Rd. *Bdwl* 4D **10**
Rayleigh Clo. *Shen C* 3E **14**
Reach Grn. *H&R* 4F **25**
Reach La. *H&R* 4G **25**
Recreation Cen. 3H 7
Rectory Fields. *Wool* 5B **12**
Rectory Rd. *Hav* 5H **5**
Redbourne Ct. *Sto S* 3G **9**
Redbridge. *Stant* 7B **6**
Redbridge Roundabout (Junct.) **1H 11**
Redcote Mnr. *Wltn P* 5F **17**
Redding Gro. *Crow* 3B **14**
Red Ho. Clo. *Newt L* 6G **21**
Redhuish Clo. *Furz* 6G **15**
Redland Dri. *Loug* 1E **14**
REDMOOR. **5K** 15
Redmoor Roundabout (Junct.) **5A 16**
Redshaw Clo. *Buck* 3D **28**
Redvers Ga. *Bol P* 1A **12**
Redwing Ho. *Ken H* 1F **17**
Redwood Ga. *Shen L* 5F **15**
Redwood Glade. *L Buz* 7E **24**
Reeves Cft. *Hod L* 4K **9**
Regent St. *Ble* 2B **22**
Regent St. *L Buz* 4G **27**
Reliance La. *Mil K* 5A **12**
Rendlesham. *Wool* 5B **12**
Renfrew Way. *Ble* 6J **15**
Retreat, The. Sto S 3E 8
(off High St.)
Rhodes Pl. *Oldb* 2H **15**
Rhondda Clo. *Ble* 1D **22**
Rhoscolyn Dri. *Tat* 2E **20**
Rhuddlan Clo. *Shen C* 2C **14**
Ribble Clo. *Newp P* 3J **7**
Ribble Cres. *Ble* 2G **21**
Richardson Pl. *Oldb* 7H **11**
Richborough. *Ban* 2D **10**
Richmond Clo. *Ble* 1G **21**
Richmond Rd. *L Buz* 5H **27**
Richmond Way. *Newp P* 4G **7**
Rickley La. *Ble* 1J **21**
Rickley Pk. 2J 21
Rickyard Clo. *Bdwl* 4D **10**
Ride, The. *L Buz* 4J **27**
Ridgeway. (H1). *Ful S* 4G **9**
Ridgeway. (H1). *Wol M* 3H **9**
RIDGMONT STATION. **2K 19**
Ridgmont. *Dean* 6A **8**
Ridgmont Clo. *Dean* 6A **8**
Ridgmont Rd. *Hus C* 5K **19**
Ridgway. *Wbrn S* 3C **18**
Ridgway Rd. *Brog* 1K **19**
Riding, The. *Dean* 6A **8**
Rillington Gdns. *Em V* 6E **14**
Rimsdale Ct. *Ble* 7C **22**
Ring Rd. E. *Wltn* 2E **16**
Ring Rd. N. *Wltn* 2D **16**
Ring Rd. W. *Wltn* 2D **16**
River Clo. *Newp P* 3H **7**
Rivercrest Rd. *Old S* 2C **8**
Riverside. *L Buz* 3F **27**
Riverside. *Newp P* 3H **7**
Rixband Clo. *Wltn P* 5F **17**
Roberts Clo. *Dean* 7B **8**
Robertson Clo. *Shen C* 2C **14**
Robeson Pl. *Crow* 1B **14**

Robin Clo. *Buck* 5E **28**
Robins Hill. *Cof H* 3K **15**
Robinswood Clo. *L Buz* 1E **26**
Roche Gdns. *Ble* 2K **21**
Rochester Ct. *Shen C* 4D **14**
Rochester M. L Buz *5D* **26**
(off Church Rd.)
Rochfords. *Cof H* 2J **15**
Rock Clo. *L Buz* 5C **26**
Rockingham Dri. *Lin W* 2H **11**
(in two parts)
Rock La. *L Buz* 5A **26**
(in two parts)
Rockleigh Ct. *L Buz* 4D **26**
Rockspray Gro. *Wal T* 4G **17**
Rodwell Gdns. *Old F* 5J **17**
Roebuck Way. *Know* 3F **15**
Roeburn Cres. *Em V* 1E **20**
Rogers Cft. *Woug G* 2C **16**
Rolvenden Gro. *Ken H* 2G **17**
Romar Ct. *Ble* 7B **16**
ROOKSLEY. 6E **10**
Rooksley Roundabout (Junct.) 5E **10**
Roosevelt Av. *L Buz* 3G **27**
Ropa Ct. L Buz *4E* **26**
(off Friday St.)
Rosebay Clo. *Wal T* 4G **17**
Rosebery Av. *L Buz* 4D **26**
Rosebery Ct. *L Buz* 4E **26**
Rosecomb Pl. *Shen B* 5D **14**
Rosemary Ct. *Wal T* 4F **17**
Rosemullion Av. *Tat* 2E **20**
(in two parts)
Roslyn Ct. *Wil* 1C **12**
Rossal Pl. *Hod L* 4A **10**
Rossendale. *Stant* 1G **11**
Rossini Pl. *Old F* 4J **17**
Ross Way. *Ble* 7J **15**
Rothersthorpe. *Gif P* 7E **6**
Rothschild Rd. *L Buz* 3D **26**
Rotten Row. *Gt Bri* 1B **24**
Roundel Dri. *L Buz* 6J **27**
Roveley Ct. *Sto S* 3G **9**
Rowan Dri. *Hav* 5F **5**
Rowlands Clo. *Ble* 2D **22**
Rowle Clo. *Stant* 1G **11**
Rowley Furrows. *L Buz* 3C **26**
Rowsham Dell. *Gif P* 5D **6**
Roxburgh Way. *Ble* 6J **15**
Rubbra Clo. *Brow W* 4H **17**
Rudchesters. *Ban* 3C **10**
Runford Ct. *Shen L* 4F **15**
Runnymede. *Gif P* 6D **6**
Rushleys Clo. *Loug* 1C **14**
RUSHMERE. 7D **24**
Rushmere Clo. *Bow B* 7H **17**
Rushmere Pk. 4D **24**
Rushmere Retail Pk. *Ble* 7C **16**
Rushton Ct. *Gt Hm* 1C **14**
Ruskin Ct. *Newp P* 5G **7**
Rusland Cir. *Em V* 7E **14**
Russell St. *Sto S* 3E **8**
Russell St. *Wbrn S* 5C **18**
Russell Way. *L Buz* 4H **27**
Russwell La. *L Bri* 4H **23**
Rutherford Ga. *Shen L* 4F **15**
Ruthven Clo. *Ble* 6B **22**
Rycroft. *Furz* 6H **15**
Rydal Way. *Ble* 4C **22**
Ryding, The. *Shen B* 5C **14**
Rye Clo. *L Buz* 4J **27**
Ryeland. *Sto S* 2F **9**
Rylstone Clo. *Hee* 5E **10**
Ryton Pl. *Em V* 6F **15**

S

Saddington. *Woug P* 3C **16**
Saddlers Pl. *Dow B* 3K **11**
Sadleir's Grn. *Wbrn S* 4C **18**
Saffron St. *Ble* 3C **22**
St Aiden's Clo. *Ble* 4H **21**
St Andrew's Av. *Ble* 3H **21**
St Andrews Clo. *L Buz* 3F **27**
St Andrew's St. *L Buz* 4F **27**
St Anthony Pl. *Tat* 2E **20**
St Bartholomews. *Monk* 7F **13**
St Bees. *Monk* 7G **13**
St Botolphs. *Monk* 7G **13**
St Brides Clo. *Spfld* 6B **12**
St Catherine's Av. *Ble* 4G **21**
St Clements Dri. *Ble* 3G **21**
St David's Rd. *Ble* 4H **21**
St Dunstans. *Cof H* 2K **15**
St Edwards Clo. *Nea H* 1J **11**
St Faith's Clo. *Newt L* 7G **21**
St George's Clo. *L Buz* 3G **27**
St Georges Ct. *L Buz* 3G **27**
St George's Rd. *Ble* 4G **21**
St Georges Way. *Wol* 1A **10**
St Giles M. *Sto S* 2E **8**
St Giles St. *New B* 1C **10**
St Govan's Clo. *Tat* 2F **21**
St Govans Clo. *Tat* 2F **21**
St Helens Gro. *Monk* 1E **16**
St Ives Cres. *Tat* 2D **20**
St James St. *New B* 1C **10**
St Johns Cres. *Wol* 3A **10**
St John's Rd. *Ble* 4G **21**
St John's Ter. *Newp P* 3H **7**
St John St. *Newp P* 3H **7**
St Lawrence Vw. *Bdwl* 4D **10**
St Leger Ct. *Gt Lin* 7C **6**
St Leger Dri. *Gt Lin* 7B **6**
St Leonard's Clo. *L Buz* 7G **25**
St Margarets Clo. *Newp P* 3J **7**
St Margarets Ct. *Ble* 2D **22**
St Martin's St. *Ble* 2B **22**
St Mary's Av. *Ble* 3H **21**
St Mary's Av. *Sto S* 2F **9**
St Mary's Clo. *Wav* 2K **17**
St Mary's St. *New B* 1C **10**
St Mary's Way. *L Buz* 4D **26**
St Matthews Ct. *Ble* 4H **21**
St Michaels Dri. *Wltn* 3E **16**
St Monica's La. *Nea H* 2J **11**
St Patrick's Way. *Ble* 4H **21**
St Pauls Ct. *Sto S* 2E **8**
St Paul's Rd. *Ble* 4G **21**
St Peters Way. *New B* 7J **5**
St Rumbold's La. *Buck* 4B **28**
St Stephens Dri. *Bol P* 1A **12**
St Thomas Ct. *Tat* 1C **20**
St Vincent's. *Wbrn S* 5D **18**
Salden Clo. *Shen C* 3E **14**
Salford Rd. *Asp G* 1D **18**
Salford Rd. *Hul* 1H **19**
Salisbury Gro. *Gif P* 5D **6**
Salters M. *Nea H* 2J **11**
Salton Link. *Em V* 7E **14**
Saltwood Dri. *Kgsmd* 1B **20**
Samphire Ct. *Wal T* 3F **17**
Sandal Ct. *Shen C* 4D **14**
Sandbrier Clo. *Wal T* 3F **17**
Sandhills. *L Buz* 2G **27**
Sandhurst Dri. *Buck* 5B **28**
Sandown Ct. *Ble* 4G **21**
Sandringham Ct. *Newp P* 4F **7**
Sandringham Pl. *Ble* 2B **22**
Sandwell Ct. *Two M* 6K **9**
Sandy Clo. *Gt Lin* 7B **6**
Sandy Clo. *Buck* 4E **28**
Sandy La. *Hus C* 5K **19**
Sandy La. *L Buz* 7E **24**
Sandy La. *Wbrn S* 7C **18**
Sandywell Dri. *Dow P* 2K **11**
San Remo Rd. *Asp G* 5G **19**
Santen Gro. *Ble* 6C **22**
Saracens Wharf. *Ble* 1D **22**
Saturn Clo. *L Buz* 3J **27**
Saunders Clo. *Wav G* 3J **17**
Savoy Cres. *Mil K* 5J **11**
Sawpit La. *Gt Bri* 7H **23**
SAXON BMI CLINIC. 2A **16**
Saxon Ga. E. *Mil K* 6H **11**
Saxon Ga. (V7). *Mil K* 5G **11**
Saxon Ga. W. *Mil K* 6H **11**
Saxons Clo. *L Buz* 4H **27**
Saxon St. (V7). *Ble* 1B **22**
Saxon St. (V7). *Fish & Neth* 7J **11**
Saxon St. (V7). *Neth & Ble* 3A **16**
Saxon St. (V7). *Stant & Conn* 7A **6**
Scardale. *Hee* 3F **11**
Scatterill Clo. *Bdwl* 4D **10**
School Dri. *Newt L* 7F **21**
School La. *Hus C* 4J **19**
School La. *Loug* 1E **14**
School La. *Buck* 4B **28**
School La. *Cast* 2B **4**
School St. *New B* 1C **10**
Schumann Clo. *Brow W* 5H **17**
Scotch Firs. *Wav G* 3H **17**
Scotney Gdns. *Ble* 2H **21**
Scott Dri. *Newp P* 2E **6**
Scotts Farm Clo. *Maid M* 1D **28**
Scotts La. *Maid M* 1D **28**
Scriven Ct. *Wil* 1C **12**
Seagrave Ct. *Wltn* 5F **17**
Secklow Ga. *Mil K* 5H **11**
Secklow Ga. E. *Mil K* 6J **11**
Secklow Ga. W. *Mil K* 6J **11**
Second Av. *Ble* 7B **16**
Sedgemere. *Two M* 7A **10**
Selbourne Av. *Ble* 3J **21**
Selby Gro. *Shen C* 4D **14**
Seldon Ga. *Cam P* 4K **11**
Selkirk Gro. *Ble* 7J **15**
Selworthy. *Furz* 6G **15**
Serjeants Grn. *Nea H* 2J **11**
Serles Clo. *Cof H* 3K **15**
Serpentine Ct. *Ble* 5C **22**
Severn Dri. *Newp P* 3H **7**
Severn Wlk. *L Buz* 7G **25**
(in three parts)
Severn Way. *Ble* 1G **21**
Shackleton Pl. *Oldb* 7H **11**
Shaftesbury Cres. *Ble* 1K **21**
Shakespeare Clo. *Newp P* 2E **6**
Shallowford Gro. *Furz* 5G **15**
Shamrock Clo. *Wal T* 3G **17**
Shannon Ct. *Dow B* 2K **11**
Sharkham Ct. *Tat* 1E **20**
Sharman Wlk. *Bdwl* 5D **10**
Shaw Clo. *Newp P* 2E **6**
Shearmans. *Ful S* 4H **9**
Sheelin Gro. *Ble* 6C **22**
Sheepcoat Clo. *Shen C* 4D **14**
Sheepcote Cres. *H&R* 5F **25**
SHEEPLANE. 1H **25**
Sheldon Ct. *Gt Hm* 7C **10**
Shelley Clo. *Newp P* 3F **7**
Shelley Dri. *Ble* 3J **21**
Shelsmore. *Gif P* 7E **6**
SHENLEY BROOK END. 5D **14**
SHENLEY CHURCH END. 3D **14**
Shenley Clo. *L Buz* 7G **25**
Shenley Hill Rd. *L Buz* 7G **25**
SHENLEY LODGE. 4E **14**
Shenley Pavilions. *Shen W* 5C **14**
Shenley Rd. *Ble* 1H **21**
(in two parts)
Shenley Rd. *Shen C* 3D **14**
Shenley Rd. *Whad* 2A **20**
Shenley Roundabout (Junct.) 4D **14**
SHENLEY WOOD. 5C **14**
Shepherds. *Ful S* 4H **9**
Shepherds Mead. *L Buz* 2F **27**
Sheppards Clo. *Newp P* 3G **7**
Shepperds Grn. *Shen C* 3C **14**
Shepperton Clo. *Cast* 2A **4**
Sherbourne Dri. *Tilb* 6G **17**
Sherington Rd. *Newp P* 2H **7**
Shernfold. *Ken H* 2G **17**
Sherwood Dri. *Ble* 7A **16**
Shilling Clo. *Pen* 1K **11**
Shipley Rd. *Newp P* 3E **6**
Shipman Ct. *Wil P* 1A **12**
Ship Rd. *L Buz* 5D **26**
Shipton Hill. *Brad* 2E **10**
Shire Ct. *Dow B* 3K **11**
Shirley Moor. *Ken H* 1G **17**

Shirwell Cres. *Furz* 4G **15**
Shorham Ri. *Two M* 6B **10**
Shouler Clo. *Shen C* 4D **14**
Shrewsbury Clo. *Monk* 6F **13**
Shropshire Ct. *Ble* 1H **21**
Shuttleworth Gro. *Wav G* 3J **17**
Sidlaw Ct. *Ful S* 4G **9**
Silbury Arc. *Mil K* 6H **11**
Silbury Boulevd. *Mil K* 7F **11**
Silbury Roundabout (Junct.) 7F 11
Silicon Ct. *Shen L* 4F **15**
Silverbirches La. *Wbrn S* 7B **18**
Silver St. *Newp P* 3H **7**
Silver St. *Sto S* 3E **8**
Silverweed Ct. *Wal T* 3G **17**
Simms Cft. *Mdltn* 6F **13**
Simnel. *B'hll* 3A **16**
Simonsbath. *Furz* 7G **15**
Simons Lea. *Bdwl* 4E **10**
SIMPSON. 4D 16
Simpson. *Simp* 4D **16**
Simpson Dri. *Simp* 4D **16**
Simpson Rd. *Mil K & Wltn P* 4D **16**
Simpson Roundabout (Junct.) 4C 16
Sinclair Ct. *Ble* 6K **15**
Sipthorp Clo. *Wav G* 3H **17**
Sitwell Clo. *Newp P* 2D **6**
Skeats Wharf. *Pen* 1K **11**
Skeldon Roundabout (Junct.) 4K 11
Skene Clo. *Ble* 6B **22**
Skipton Clo. *Wil P* 2B **12**
Slade La. *Ful S* 4G **9**
(in two parts)
Slade, The. *Newt L* 7G **21**
Slated Row. *Old Wo* 1J **9**
Smabridge Wlk. *Wil* 1C **12**
Small Cres. *Buck* 4E **28**
Smarden Bell. *Ken H* 1G **17**
Smeaton Clo. *Blak* 5E **6**
Smithergill Ct. *Hee* 4F **11**
Smithsons Pl. *Mil K* 5A **12**
Snaith Cres. *Loug* 2E **14**
SNELSHALL EAST. 3D 20
Snelshall St. (V1). *Kgsmd* 1B **20**
SNELSHALL WEST. 3D 20
Snowberry Clo. *Sta B* 3A **10**
Snowdon Dri. *Wint* 1G **15**
Snowshill Ct. *Gif P* 5D **6**
Sokeman Clo. *Grnly* 3H **9**
Solar Ct. *Gt Lin* 6C **6**
Somerset Clo. *Ble* 1J **21**
Sorensen Ct. *Med* 5B **14**
Sorrell Dri. *Newp P* 2D **6**
Soskin Dri. *Stant F* 2F **11**
Soulbury Rd. *L Buz* 3B **26**
Southall. *Maid M* 1D **28**
Southbridge Gro. *Ken H* 2F **17**
S. Concourse. *Mil K* 6H **11**
Southcott Village. *L Buz* 5C **26**
Southcourt Av. *L Buz* 5C **26**
Southcourt Rd. *L Buz* 4C **26**
S. Eighth St. *Mil K* 6H **11**
South Elder Roundabout (Junct.) 1F 15
South Enmore Roundabout (Junct.) 5A 12
Southern Way. *Wol* 3A **10**
Southfield Clo. *Wil* 1C **12**
S. Fifth St. *Mil K* 7H **11**
S. Fourth St. *Mil K* 7G **11**
South Grafton Roundabout (Junct.) 1G 15
South Lawne. *Ble* 2J **21**
S. Ninth St. *Mil K* 6J **11**
South Overgate Roundabout (Junct.) 5A 12
South Row. *Mil K* 7H **11**
(in two parts)
South Saxon Roundabout (Junct.) 7J 11
South Secklow Roundabout (Junct.) 6J 11
S. Second St. *Mil K* 7G **11**
S. Seventh St. *Mil K* 7H **11**
Southside La. *Mil V* 6E **12**
S. Sixth St. *Mil K* 7H **11**
South St. *L Buz* 4G **27**
South St. *Cast* 2B **4**
S. Tenth St. *Mil K* 6J **11**
South Ter. *Ble* 2B **22**
Southwick Ct. *Gt Hm* 1C **14**
South Witan Roundabout (Junct.) 7H 11
Sovereign Dri. *Pen* 1K **11**
Spark Way. *Newp P* 2D **6**
Sparsholt Clo. *Em V* 7F **15**
Spearmint Clo. *Wal T* 4G **17**
Specklands. *Loug* 1D **14**
Speedwell Pl. *Conn* 4H **11**
Speldhurst Ct. *Ken H* 2G **17**
Spencer. *Stant* 7A **6**
Spencer Ct. L Buz *2G* ***27***
(off Churchill Rd.)
Spencer St. *New B* 1C **10**
Spenlows Rd. *Ble* 6K **15**
Spinney La. *Asp G* 5F **19**
Spinney, The. *Bdwl* 4D **10**
Spoonley Wood. *Ban P* 3B **10**
SPRINGFIELD. 6A 12
Springfield Boulevd. *Spfld* 6A **12**
(in two parts)
Springfield Ct. L Buz *4D* ***26***
(off Springfield Rd.)
Springfield Ct. Spfld *6A* ***12***
(off Ravensbourne Pl.)
Springfield Gdns. *Dean* 7B **8**
Springfield Rd. *L Buz* 4C **26**
Springfield Roundabout (Junct.) 6K 11
Spring Gdns. *Newp P* 3G **7**
Spring Gro. *Wbrn S* 4C **18**
Springside. *L Buz* 4D **26**
Square, The. *Asp G* 5F **19**
Square, The. *Wol* 2A **10**
Squires Clo. *Cof H* 3K **15**
Squirrels Way. *Buck* 5D **28**
Stables, The. *Hav* 4H **5**
Stable Yd. *Dow B* 3K **11**
Stacey Av. *Wol* 2A **10**
STACEY BUSHES. 4B 10
Stacey Bushes Roundabout (Junct.) 4B 10
Stafford Gro. *Shen C* 3E **14**
Stagshaw Gro. *Em V* 7E **14**
Stainton Dri. *Hee* 4F **11**
Stamford Av. *Spfld* 7A **12**
Stanbridge Ct. *Sto S* 3G **9**
Stanbridge Rd. *L Buz* 5G **27**
Stanbridge Rd. Ter. *L Buz* 5G **27**
Stanbrook Pl. *Monk* 7F **13**
Standing Way. (H8). *Ble & Redm* 7H **15**
Standing Way. (H8). *Mil K & Redm* 4B **20**
Standing Way. (H8). *Monk & Ken H* 1E **16**
Stanier Sq. *Ble* 2B **22**
Stanmore Gdns. *Newp P* 5F **7**
Stanton Av. *Brad* 2D **10**
STANTONBURY. 1F 11
STANTONBURY CAMPUS. 1F 11
Stantonbury Clo. *New B* 7J **5**
STANTONBURY FIELDS. 1G 11
Stantonbury Leisure Cen. 2F 11
Stantonbury Roundabout (Junct.) 2F 11
Stanton Ga. *Stant* 7B **6**
Stanton Wood Roundabout (Junct.) 4G 11
Stanway Clo. *Dow P* 2A **12**
Staple Hall Rd. *Ble* 1C **22**
Staters Pound. *Pen* 1K **11**
Statham Pl. *Oldb* 1J **15**
Station App. *L Buz* 5D **26**
Station Rd. *L Buz* 4D **26**
Station Rd. *Newp P* 3G **7**
Station Rd. *Ridg* 2K **19**
Station Rd. *Wbrn S* 4C **18**
Station Rd. *Bow B* 7G **17**
Station Rd. *Buck* 5B **28**
Station Rd. *Cast* 2A **4**
Station Sq. *Mil K* 7F **11**
Station Ter. *Gt Lin* 5C **6**
Station Ter. *Buck* 5B **28**
Stavordale. *Monk* 7F **13**
Stayning La. *Nea H* 3J **11**
Steeple Clo. *Tat* 2D **20**
Stephenson Clo. *L Buz* 5D **26**
Steppingstone Pl. *L Buz* 5G **27**
Stevens Fld. *Wav G* 3J **17**
Stile, The. *H&R* 5F **25**
Stirling Clo. *Pen* 2K **11**
Stirling Ho. Ble *3G* ***21***
(off Chester Clo.)
Stockdale. *Hee* 3F **11**
Stockgrove Country Pk. 3E 24
Stocks, The. *Cosg* 5A **4**
Stockwell La. *Wav* 1J **17**
Stoke La. *Gt Bri* 1B **24**
Stokenchurch Pl. *Bdwl C* 4F **11**
Stoke Rd. *Ble* 4C **22**
Stoke Rd. *L Buz* 2C **26**
Stoke Rd. *Newt L* 7G **21**
Stokesay Ct. *Kgsmd* 7B **14**
Stolford Ri. *Tat* 1E **20**
STONEBRIDGE. 1B 10
Stonebridge Roundabout (Junct.) 7G 5
Stonecrop Pl. *Conn* 4H **11**
Stonegate. *Ban* 3D **10**
Stonehenge Works Station. 7J 25
Stone Hill. *Two M* 7A **10**
Stoneleigh Ct. *Kgsmd* 7B **14**
Stonor Ct. *Gt Hm* 1C **14**
STONY STRATFORD. 3E 8
Stony Stratford Nature Reserve. 1D 8
Stony Stratford Roundabout (Junct.) 2F 9
Stotfold Ct. *Sto S* 4F **9**
Stour Clo. *Ble* 2H **21**
Stour Clo. *Newp P* 4J **7**
Stourhead Ga. *Wcrft* 7B **14**
Stowe Av. *Buck* 1A **28**
Stowe Clo. *Buck* 3B **28**
Stowe Ct. *Stant* 7A **6**
Stowe Ri. *Buck* 3B **28**
Strangford Dri. *Ble* 6B **22**
Stratfield Ct. *Gt Hm* 7C **10**
Stratford Arc. *Sto S* 2E **8**
Stratford Ho. *Sto S* 3D **8**
Stratford Rd. *Cosg* 6A **4**
Stratford Rd. *Dean* 4A **8**
Stratford Rd. *Wol M* 2G **9**
Stratford Rd. *Buck* 3D **28**
Strathnaver Pl. *Hod L* 4A **10**
Strauss Gro. *Brow W* 5H **17**
Streatham Pl. *Bdwl C* 6F **11**
Strudwick Dri. *Oldb* 1J **15**
Stuart Clo. *Ble* 1C **22**
Studio Ct. *Ble* 2C **22**
Studley Knapp. *Wal T* 3G **17**
Sturges Clo. *Wltn P* 4F **17**
Suffolk Clo. *Ble* 1J **21**
Sulgrave Ct. *Gt Hm* 1C **14**
Sullivan Cres. *Brow W* 4H **17**
Sultan Cft. *Shen B* 5D **14**
Summergill Ct. *Hee* 3F **11**
Summerhayes. *Gt Lin* 1J **11**
(in three parts)
Summerson Rd. *Ble H* 4J **15**
Summer St. *L Buz* 4G **27**
Sumner Ct. *Loug* 1D **14**
Sunbury Clo. *Brad* 2D **10**
Sunderland Ct. *Tat* 1C **20**
Sunningdale Ho. *C'ctte* 7F **17**
Sunningdale Way. *Ble* 2F **21**
Sunridge Clo. *Newp P* 4G **7**
Sunrise Parkway. *Lin W* 2H **11**
Sunset Clo. *Ble* 3B **22**
Sunset Wlk. Mil K *6H* ***11***
(off Silbury Boulevd.)
Surrey Pl. *Ble* 7J **15**
Surrey Rd. *Ble* 7J **15**
Sussex Rd. *Ble* 1J **21**
Sutcliffe Av. *Oldb* 7H **11**
Sutherland Gro. *Ble* 7J **15**
Sutleye Ct. *Shen C* 4D **14**
Sutton Ct. *Em V* 1F **21**
Swales Dri. *L Buz* 6J **27**
Swallow Clo. *Buck* 5D **28**
Swallowfield. *Gt Hm* 7B **10**
Swan Clo. *Buck* 5D **28**
Swan Pool Leisure Cen. 5C 28
Swan Ter. *Sto S* 3E **8**
Swanwick La. *Mdltn & Brou* 5G **13**
Swanwick Wlk. *Mdltn* 5G **13**
Swayne Ri. *Mdltn* 6F **13**
Sweetlands Corner. *Ken H* 1G **17**

Swift Clo. *Newp P* . . . 2E 6
Swimbridge La. *Furz* . . . 5G 15
Swimming Pool. . . . 4C 28
Swinden Ct. *Hee* . . . 4E 10
Swinfens Yd. *Sto S* . . . 3E 8
Sycamore Av. *Ble* . . . 2D 22
Sycamore Clo. *Buck* . . . 5E 28
Sykes Cft. *Em V* . . . 1F 21
Sylvester St. *H&R* . . . 5F 25
Symington Ct. *Shen L* . . . 4E 14
Syon Gdns. *Newp P* . . . 5G 7

T

Tabard Gdns. *Newp P* . . . 5G 7
Tacknell Dri. *Shen B* . . . 5C 14
Tadmarton. *Dow P* . . . 2K 11
Tadmere. *Two M* . . . 7A 10
Talbot Ct. *L Buz* . . . 3F 27
Talbot Ct. *Wool* . . . 7B 12
Talland Av. *Fish* . . . 7J 11
Tallis La. *Brow W* . . . 4H 17
Tall Pines. *L Buz* . . . 1E 26
Tamar Ho. *Ble* . . . 1H 21
Tamarisk Ct. *Wal T* . . . 4G 17
Tamar Wlk. *L Buz* . . . 7G 25
Tamworth Stubb. *Wal T* . . . 4F 17
(in two parts)
Tandra. *B'hll* . . . 4A 16
(in five parts)
Tanfield La. *Mil V* . . . 5F 13
Tanners Dri. *Blak* . . . 5E 6
Tansman La. *Old F* . . . 4J 17
Taranis Clo. *Wav G* . . . 2H 17
Tarbert Clo. *Ble* . . . 5B 22
Tarnbrook Clo. *Em V* . . . 7E 14
Tarragon Clo. *Wal T* . . . 3F 17
Tatling Gro. *Wal T* . . . 3F 17
Tattam Clo. *Wool* . . . 6B 12
TATTENHOE. . . . **2D 20**
Tattenhoe La. *Ble* . . . 2G 21
(in two parts)
TATTENHOE PARK. . . . **3C 20**
Tattenhoe Roundabout (Junct.) . . . **3D 20**
Tattenhoe St. (V2). *Crow* . . . 4A 14
Tattershall Clo. *Shen C* . . . 3D 14
Taunton Deane. *Em V* . . . 1G 21
Tavelhurst. *Two M* . . . 7B 10
Taverner Clo. *Old F* . . . 4J 17
Tavistock Clo. *Wbrn S* . . . 3B 18
Tavistock St. *Ble* . . . 1B 22
Taylors M. *Nea H* . . . 2J 11
Taylor's Ride. *L Buz* . . . 1E 26
Taymouth Pl. *Mil K* . . . 5A 12
Tay Rd. *Ble* . . . 1H 21
Teasel Av. *Conn* . . . 3H 11
Tees Way. *Ble* . . . 1G 21
Teign Clo. *Newp P* . . . 3H 7
Telford Way. *Blak* . . . 6F 7
Temperance Ter. *Sto S* . . . 2D 8
Temple. *Stant* . . . 1F 11
Temple Clo. *Ble* . . . 3G 21
Temple Clo. *Buck* . . . 2D 28
Tene Acres. *Shen C* . . . 3C 14
Tennyson Dri. *Newp P* . . . 3E 6
Tennyson Gro. *Ble* . . . 3J 21
Tenterden Cres. *Ken H* . . . 2G 17
Tewkesbury La. *Monk* . . . 7E 12
Thames Clo. *Ble* . . . 2H 21
Thames Dri. *Newp P* . . . 4J 7
Thane Ct. *Stant* . . . 1F 11
Theatre Wlk. *Mil K* . . . 5J 11
Theydon Av. *Wbrn S* . . . 5C 18
Third Av. *Ble* . . . 7A 16
Thirlby La. *Shen C* . . . 3D 14
Thirlmere Av. *Ble* . . . 4C 22
Thirsk Gdns. *Ble* . . . 4F 21
Thomas Dri. *Newp P* . . . 1E 6
Thomas St. *H&R* . . . 5F 25
Thompson St. *New B* . . . 7J 5
Thorncliffe. *Two M* . . . 7A 10
Thorneycroft La. *Dow P* . . . 2A 12
Thornley Cft. *Em V* . . . 7F 15
Thorpeness Cft. *Tat* . . . 2C 20
Thorwold Pl. *Loug* . . . 3E 14
Thresher Gro. *Grnly* . . . 3H 9
Threshers Ct. *L Buz* . . . 4J 27
Thrift Rd. *H&R* . . . 5F 25
Thrupp Clo. *Cast* . . . 1C 4
Thurne Clo. *Newp P* . . . 4J 7
Thursby Clo. *Wil* . . . 1C 12
Thyme Clo. *Newp P* . . . 2D 6
Ticehurst Clo. *Ken H* . . . 2G 17
Tickford Arc. *Newp P* . . . 3H 7
TICKFORD END. . . . **3J 7**
Tickford Roundabout (Junct.) . . . **5K 7**
Tickford St. *Newp P* . . . 3H 7
Tidbury Clo. *Wbrn S* . . . 5B 18
Tiddenfoot Leisure Cen. . . . 6D 26
Tiddenfoot Waterside Pk. . . . 7D 26
Tiffany Clo. *Ble* . . . 4C 22
TILBROOK. . . . **6G 17**
Tilbrook Ind. Est. *Tilb* . . . 6G 17
Tilbrook Roundabout (Junct.) . . . **7G 17**
Tilers Rd. *Kil F* . . . 6J 9
Tiller Ct. *L Buz* . . . 4J 27
Tillman Clo. *Grnly* . . . 3K 9
Timberscombe. *Furz* . . . 6G 15
Timbold Dri. *Ken H* . . . 2E 16
Timor Ct. *Sto S* . . . 2E 8
Tindall Av. *L Buz* . . . 2G 27
Tingewick Rd. *Buck* . . . 4A 28
Tingewick Rd. Ind. Pk. *Buck* . . . 4A 28
TINKERS BRIDGE. . . . **3C 16**
Tintagel Ct. *Fish* . . . 1K 15
Tippett Clo. *Brow W* . . . 5J 17
Titchmarsh Ct. *Oldb* . . . 1H 15
Tiverton Cres. *kgsmd* . . . 1B 20
Tolcarne Av. *Fish* . . . 7K 11
Tompkins Clo. *Shen B* . . . 6E 14
TONGWELL. . . . **7H 7**
Tongwell La. *Newp P* . . . 5G 7
Tongwell Roundabout (Junct.) . . . **7H 7**
Tongwell St. (V11). *Mil V & Old F* . . . 4E 12
Tongwell St. (V11). *Wil* . . . 7H 7
Toot Hill Clo. *Shen C* . . . 4C 14
Top Angel. *Buck* . . . 7C 28
Top Mdw. *C'ctte* . . . 6G 17
Torre Clo. *Ble* . . . 7K 15
(in two parts)
Torridon Ct. *Ble* . . . 6C 22
Tourist Info. Cen. . . . 5J 11
Towan Av. *Fish* . . . 1K 15
Towcester Rd. *Maid M* . . . 1D 28
Towcester Rd. *Old S* . . . 1C 8
Tower Cres. *Nea H* . . . 2J 11
Tower Dri. *Nea H* . . . 2H 11
Townsend Gro. *New B* . . . 7K 5
Trafalgar Av. *Ble* . . . 7H 15
Tranlands Brigg. *Hee* . . . 4E 10
Travell Ct. *Bdwl* . . . 5E 10
Travis Gro. *Ble* . . . 2K 21
Treborough. *Furz* . . . 7G 15
Tredington Gro. *C'ctte* . . . 5G 17
Tremayne Ct. *Fish* . . . 1K 15
Trent Dri. *Newp P* . . . 4H 7
Trentishoe Cres. *Furz* . . . 6G 15
Trent Rd. *Ble* . . . 2H 21
Tresham Ct. *Loug* . . . 2D 14
Trevithick La. *Shen L* . . . 4E 14
Trevone Ct. *Fish* . . . 1K 15
Trinity Clo. *Old S* . . . 1C 8
Trinity Rd. *Old Wo* . . . 1J 9
Trispen Ct. *Fish* . . . 7K 11
Troutbeck. *Pear B* . . . 1B 16
Trubys Garden. *Cof H* . . . 2K 15
Trueman Pl. *Oldb* . . . 1J 15
Trumpton La. *Wav G* . . . 2H 17
Trunk Furlong. *Asp G* . . . 3E 18
Trunk Furlong Est. *Asp G* . . . 3E 18
Tudeley Hale. *Ken H* . . . 1G 17
Tudor Ct. *L Buz* . . . 4E 26
Tudor Gdns. *Sto S* . . . 4F 9
Tuffnell Clo. *Wil* . . . 1D 12
Tulla Ct. *Ble* . . . 6B 22
Tummel Way. *Ble* . . . 5B 22
Tunbridge Gro. *Ken H* . . . 1F 17
Turnberry Clo. *Ble* . . . 3F 21
Turnberry Ho. *C'ctte* . . . 7F 17
Turners M. *Nea H* . . . 2J 11
Turneys Dri. *Wol M* . . . 2H 9
Turnmill Av. *Spfld* . . . 6A 12
Turnmill Ct. *Spfld* . . . 6A 12
Turnpike Ct. *Wbrn S* . . . 4B 18
Turnpike Rd. *Hus C* . . . 7H 19
Turpyn Ct. *Woug G* . . . 1C 16
Turvill End. *Loug* . . . 1E 14
Tweed Dri. *Ble* . . . 1G 21
Twinflower. *Wal T* . . . 3G 17
Twitchen La. *Furz* . . . 6G 15
TWO MILE ASH. . . . **7B 10**
Twyford La. *Wal T* . . . 4H 17
Tyburn Av. *Spfld* . . . 6A 12
Tylers Grn. *Bdwl C* . . . 5G 11
Tyne Sq. *Ble* . . . 1G 21
Tyrell Clo. *Buck* . . . 5B 28
Tyrill. *Stant* . . . 1F 11
Tyson Pl. *Oldb* . . . 1H 15

U

Ullswater Dri. *L Buz* . . . 4B 26
Ulverscroft. *Monk* . . . 6F 13
Ulyett Pl. *Oldb* . . . 1H 15
Underwood Pl. *Oldb* . . . 1H 15
Union St. *Newp P* . . . 3H 7
University Roundabout (Junct.) . . . **2F 17**
Up. Coombe. *L Buz* . . . 3D 26
Up. Fifth St. *Mil K* . . . 6G 11
Up. Fourth St. *Mil K* . . . 6G 11
Up. Second St. *Mil K* . . . 7F 11
Up. Stonehayes. *Gt Lin* . . . 7D 6
Up. Third St. *Mil K* . . . 7G 11
Upper Way. *Gt Bri* . . . 1B 24
UPPER WEALD. . . . **7H 9**
Upton Gro. *Shen L* . . . 5F 15

V

V1 (Snelshall St.). *Kgsmd* . . . 1B 20
V2 (Tattenhoe St.). *Crow* . . . 4A 1
V3 (Fulmer St.). *Crow & Shen C* . . . 2A 14
V3 (Fulmer St.). *Shen L & Furz* . . . 5E 14
V4 (Watling St.). *Ble* . . . 7B 16
V4 (Watling St.). *Ful S* . . . 4G 9
V4 (Watling St.). *Gt Hm & Know* . . . 1B 14
V4 (Watling St.). *Know & Ble* . . . 5J 15
V5 (Gt. Monks St.). *Wol M & Two M* . . . 2H 9
V6 (Grafton Ga.). *Mil K* . . . 6F 11
V6 (Grafton St.). *New B & Bdwl C* . . . 7G 5
V6 (Grafton St.). *Oldb & Ble* . . . 1G 15
V7 (Saxon Ga.). *Mil K* . . . 5G 11
V7 (Saxon St.). *Ble* . . . 1B 22
V7 (Saxon St.). *Fish & Neth* . . . 7J 11
V7 (Saxon St.). *Neth & Ble* . . . 5B 16
V7 (Saxon St.). *Stant & Conn* . . . 7A 6
V8 (Marlborough St.). *Mil K & Fish* . . . 4J 11
(in two parts)
V8 (Marlborough St.). *Neth & Simp* . . . 3B 16
V8 (Marlborough St.). *Stant* . . . 7A 6
V9 (Overstreet). *Nea H & Dow B* . . . 1J 11
V10 (Brickhill St.). *Gif P & W'len L* . . . 5D 6
V10 (Brickhill St.). *Ken H & C'ctte* . . . 1E 16
V10 (Brickhill St.). *Wil P & Wool* . . . 3B 12
V11 (Tongwell St.). *Mil V & Old F* . . . 4E 12
V11 (Tongwell St.). *Wil* . . . 7H 7
Vache La. *Shen C* . . . 3C 14
Valens Clo. *Crow* . . . 2B 14
Valentine Ct. *Crow* . . . 2B 14
Valerian Pl. *Newp P* . . . 3D 6
Valley Rd. *Buck* . . . 4E 28
Van Der Bilt Ct. *Blu B* . . . 2C 10
Vandyke Clo. *Wbrn S* . . . 3C 18
Vandyke Rd. *L Buz* . . . 4G 27
Vantage Ct. *Newp P* . . . 4K 7
Vauxhall. *Brad* . . . 2E 10
Vellan Av. *Fish* . . . 7K 11
Venables La. *Bol P* . . . 1K 11
Venetian Ct. *Wav G* . . . 2H 17

Verdi Clo. *Old F* . . . 4J **17**
Verdon Dri. *Wil P* . . . 1A **12**
Verity Pl. *Oldb* . . . 7J **11**
Verley Clo. *Woug G* . . . 1B **16**
Vermont Pl. *Tong* . . . 6G **7**
Verney Clo. *Buck* . . . 3C **28**
Vernier Cres. *Med* . . . 5B **14**
Veryan Pl. *Fish* . . . 7K **11**
Vicarage Gdns. *Bdwl* . . . 4D **10**
Vicarage Gdns. *L Buz* . . . 5D **26**
Vicarage Rd. *Bdwl* . . . 4D **10**
Vicarage Rd. *Ble* . . . 2C **22**
Vicarage Rd. *L Buz* . . . 5D **26**
Vicarage Rd. *Sto S* . . . 2E **8**
Vicarage St. *Wbrn S* . . . 5D **18**
Vicarage Wlk. *Sto S* . . . 2E **8**
Victoria Rd. *Ble* . . . 2C **22**
Victoria Rd. *L Buz* . . . 5D **26**
Victoria St. *Wol* . . . 2A **10**
Victoria Ter. *Lee* . . . 4J **27**
Vienna Gro. *Blu B* . . . 2B **10**
Villiers Clo. *Buck* . . . 2D **28**
Vimy Rd. *L Buz* . . . 4E **26**
Vincent Av. *Crow* . . . 1B **14**
Vintners M. *Nea H* . . . 2J **11**
Virginia. *Cof H* . . . 2K **15**
Viscount Way. *Ble* . . . 1B **22**
Vyne Cvn. Pk., The. *L Buz* . . . 6H **27**
Vyne Cres. *Gt Hm* . . . 7C **10**

W

Wadesmill La. *C'ctte* . . . 5F **17**
(in three parts)
Wadhurst La. *Ken H* . . . 7F **13**
Wadworth Clo. *Mdltn* . . . 5D **12**
Wagner Clo. *Brow W* . . . 5H **17**
Wainers Cft. *Grnly* . . . 4J **9**
Wakefield Clo. *Nea H* . . . 1J **11**
Walbank Gro. *Shen B* . . . 6C **14**
Walbrook Av. *Spfld* . . . 5A **12**
Walgrave Dri. *Bdwl* . . . 5D **10**
Walkhampton Av. *Bdwl C* . . . 5E **10**
Wallace St. *New B* . . . 1B **10**
Wallinger Dri. *Shen B* . . . 6D **14**
Wallingford. *Brad* . . . 3E **10**
Wallmead Gdns. *Loug* . . . 2E **14**
Walney Pl. *Tat* . . . 1C **20**
Walnut Clo. *Newp P* . . . 4E **6**
Walnut Dri. *Ble* . . . 2D **22**
Walnut Dri. *Maid M* . . . 1D **28**
Walnuts, The. *L Buz* . . . 1F **27**
WALNUT TREE. . . . **4G** 17
Walnut Tree Roundabout (Junct.) . . . **2H 17**
Walnut Tree Sports Ground. . . . **5G** 17
Walsh's Mnr. *Stant* . . . 1G **11**
Waltham Dri. *Monk* . . . 7F **13**
WALTON. . . . **3F** 17
Walton Dri. *Wltn* . . . 3E **16**
Walton End. *Wav G* . . . 3H **17**
WALTON HALL. . . . **2E** 16
Walton Heath. *Ble* . . . 2G **21**
WALTON PARK. . . . **5F** 17
Walton Pk. Roundabout (Junct.) . . . **5G 17**
Walton Rd. *C'ctte* . . . 6G **17**
Walton Rd. *Mil V* . . . 6E **12**
Walton Rd. *Wav G* . . . 3J **17**
Walton Rd. *Wltn* . . . 3F **17**
Walton Roundabout (Junct.) . . . **3F 17**
Wandlebury. *Gif P* . . . 7E **6**
Wandsworth Pl. *Bdwl C* . . . 5G **11**
Wardle Pl. *Oldb* . . . 1G **15**
Ward Rd. *Ble* . . . 6D **16**
Wardstone End. *Em V* . . . 7E **14**
Warmington Gdns. *Dow P* . . . 3A **12**
Warneford Way. *L Buz* . . . 6H **27**
Warners Clo. *Gt Bri* . . . 1B **24**
Warners Rd. *Newt L* . . . 7G **21**
Warren Bank. *Simp* . . . 4D **16**
Warren Clo. *Buck* . . . 5D **28**
Warren Yd. *Wol M* . . . 2H **9**
Warwick Pl. *Ble* . . . 3H **21**
Warwick Rd. *Ble* . . . 2J **21**
Washfield. *Furz* . . . 6G **15**
Wastel. *B'hll* . . . 4A **16**
(in three parts)
Watchcroft Dri. *Buck* . . . 2D **28**
Watchet Ct. *Furz* . . . 6G **15**
Waterbourne Wlk. *L Buz* . . . 4E **26**
Water Clo. *Old S* . . . 1C **8**
Waterdell. *L Buz* . . . 4H **27**
WATER EATON. . . . **3C** 22
Water Eaton Ind. Pk. *Ble* . . . 4B **22**
Water Eaton Rd. *Ble* . . . 3A **22**
Waterford Clo. *Ble* . . . 1H **21**
Waterhouse Clo. *Newp P* . . . 3H **7**
Water La. *L Buz* . . . 4E **26**
Waterloo Ct. *Ble* . . . 7H **15**
Waterloo Rd. *L Buz* . . . 5D **26**
Waterlow Clo. *Newp P* . . . 5G **7**
Watermil La. *Wol M* . . . 1G **9**
Water Mill Roundabout (Junct.) . . . **7F 17**
Waterside. *Pear B* . . . 1B **16**
Watersmeet Clo. *Furz* . . . 5G **15**
Water World. . . . **2D** 14
Watling St. *Ble* . . . 7B **16**
Watling St. *Old S* . . . 1B **8**
Watling St. (V4). *Ful S* . . . 4G **9**
Watling St. (V4). *Gt Hm & Know* . . . 1B **14**
Watling St. (V4). *Know & Ble* . . . 3F **15**
Watling Ter. *Ble* . . . 1D **22**
Watlow Gdns. *Buck* . . . 2D **28**
Watten Ct. *Ble* . . . 6D **22**
Wavell Ct. *Bol P* . . . 1A **12**
WAVENDON. . . . **2K** 17
Wavendon Fields. *Wav* . . . 3A **18**
WAVENDON GATE. . . . **3J** 17
Wavendon Ho. Dri. *Wav* . . . 1C **18**
Wavendon Tower. . . . **2J** 17
Waveney Clo. *Newp P* . . . 4J **7**
Wealdstone Pl. *Spfld* . . . 6K **11**
Weasel La. *Newt L* . . . 5D **20**
Weathercock Clo. *Wbrn S* . . . 4C **18**
Weathercock La. *Wbrn S* . . . 4C **18**
Weavers Hill. *Ful S* . . . 5H **9**
Webber Heath. *Old F* . . . 5J **17**
Websters Mdw. *Em V* . . . 1F **21**
Wedgwood Av. *Blak* . . . 6E **6**
(in three parts)
Welburn Gro. *Em V* . . . 7E **14**
Weldon Ri. *Loug* . . . 1E **14**
Welland Dri. *Newp P* . . . 4J **7**
Welland Ho. *Ble* . . . 2H **21**
Wellfield Ct. *Wil* . . . 7H **7**
Wellhayes. *Gt Lin* . . . 7D **6**
Wellington Pl. *Ble* . . . 3A **22**
Wellmore. *Maid M* . . . 1E **28**
Wells Ct. L Buz . . . *3F* ***27***
(off East St.)
Well St. *Buck* . . . 4C **28**
Welsummer Gro. *Shen B* . . . 6D **14**
Wenning La. *Em V* . . . 7D **14**
Wentworth Dri. *L Buz* . . . 2F **27**
Wentworth Way. *Ble* . . . 3F **21**
Werth Dri. *Wbrn S* . . . 7C **18**
WEST ASHLAND. . . . **5A** 16
WEST BLETCHLEY. . . . **1H** 21
Westbourne Ct. *Brad* . . . 2D **10**
Westbrook End. *Newt L* . . . 7F **21**
Westbury Clo. *Newp P* . . . 3F **7**
Westbury La. *Newp P* . . . 2E **6**
Westcliffe. *Two M* . . . 6K **9**
WESTCROFT. . . . **7D** 14
Westcroft Roundabout (Junct.) . . . **7D 14**
West Dales. *Hee* . . . 3F **11**
Western Av. *Buck* . . . 3B **28**
Western Rd. *Ble* . . . 1B **22**
Western Rd. *Wol* . . . 2K **9**
Westfield Av. *Dean* . . . 6A **8**
Westfield Rd. *Ble* . . . 2B **22**
Westfields. *Buck* . . . 4A **28**
West Hill. *Asp G* . . . 5E **18**
Westhill. *Stant* . . . 7B **6**
Westminster Dri. *Ble* . . . 1J **21**
Weston Av. *L Buz* . . . 5H **27**
West Rd. *Wbrn S* . . . 4C **18**
Westside. L Buz . . . *4F* ***27***
(off Doggett St.)
West St. *L Buz* . . . 4E **26**
West St. *Buck* . . . 3B **28**
West Wlk. *Mil K* . . . 6H **11**
Westwood Clo. *Gt Hm* . . . 1B **14**
(in three parts)
Wetherby Gdns. *Ble* . . . 4G **21**
Whaddon Rd. *Kgsmd* . . . 2B **20**
Whaddon Rd. *Newp P* . . . 4F **7**
Whaddon Rd. *Newt L* . . . 4B **20**
Whaddon Rd. *Shen B* . . . 6D **14**
Whaddon Way. *Ble* . . . 3G **21**
Whalley Dri. *Ble* . . . 6K **15**
Wharf Clo. *Old S* . . . 1C **8**
Wharf La. *Old S* . . . 1D **8**
Wharfside. *Ble* . . . 2D **22**
Wharfside Pl. *Buck* . . . 3D **28**
Wharf, The. *Ble* . . . 4D **22**
Wharf, The. *Gif P* . . . 5C **6**
Wharf Vw. *Buck* . . . 3D **28**
Wheatcroft Clo. *B'hll* . . . 4K **15**
Wheatfield Clo. *L Buz* . . . 4J **27**
Wheatley Clo. *Em V* . . . 7F **15**
Wheelers La. *Brad* . . . 2D **10**
Wheelwrights M. *Nea H* . . . 2J **11**
Wheelwrights Way. *Old S* . . . 1C **8**
Whetstone Clo. *Hee* . . . 4E **10**
Whichford. *Gif P* . . . 6E **6**
Whitby Clo. *Ble* . . . 7J **15**
White Alder. *Sta B* . . . 3B **10**
Whitebaker Ct. *Nea H* . . . 2J **11**
Whitegate Cross. *Neth* . . . 3A **16**
Whitehall Av. *Kgstn* . . . 7J **13**
White Horse Dri. *Em V* . . . 7F **15**
Whitehorse Yd. Sto S . . . *3E* ***8***
(off High St.)
White Ho. Ct. *L Buz* . . . 4F **27**
Whiteley Cres. *Ble* . . . 4H **21**
(in two parts)
Whitethorns. *Newp P* . . . 4F **7**
Whitsun Pasture. *Wil P* . . . 1A **12**
Whitton Way. *Newp P* . . . 4G **7**
Whitworth La. *Loug* . . . 1E **14**
Wicken Rd. *Dean* . . . 7A **8**
Wildacre Rd. *Shen W* . . . 4C **14**
Wilford Clo. *Wool* . . . 6B **12**
WILLEN. . . . **1B** 12
WILLEN HOSPICE. . . . **1C** 12
WILLEN LAKE. . . . **3C** 12
Willen Lake Water Sports Cen. . . . **4C** 12
Willen La. *Gt Lin* . . . 7D **6**
WILLEN PARK. . . . **2B** 12
Willen Pk. Av. *Wil P* . . . 1A **12**
Willen Rd. *Mil V* . . . 5E **12**
Willen Rd. *Newp P* . . . 4H **7**
Willen Rd. *Wil* . . . 2C **12**
Willen Roundabout (Junct.) . . . **1A 12**
Willets Ri. *Shen C* . . . 4D **14**
Willey Ct. *Sto S* . . . 4G **9**
Williams Circ. *Wltn P* . . . 5F **17**
William Smith Clo. *Wool* . . . 5B **12**
William Sutton Ho. *Shen C* . . . 3D **14**
Willow Bank Wlk. *L Buz* . . . 3H **27**
Willow Dri. *Buck* . . . 5E **28**
Willowford. *Ban P* . . . 3B **10**
Willow Gro. *Old S* . . . 2C **8**
Willow Way. *Ble* . . . 3B **22**
Wilmin Gro. *Loug* . . . 2E **14**
Wilsley Pound. *Ken H* . . . 1G **17**
Wilson Ct. *Crow* . . . 2B **14**
Wilton Av. *Ble* . . . 2K **21**
Wiltshire Way. *Ble* . . . 1H **21**
Wimbledon Pl. *Bdwl C* . . . 5F **11**
Wimblington Dri. *Redm* . . . 5K **15**
Wimborne Cres. *Wcrft* . . . 7C **14**
Wincanton Hill. *Ble* . . . 4F **21**
Winchester Circ. *Kgstn* . . . 7G **13**
Windermere Dri. *Ble* . . . 5C **22**
Windermere Gdns. *L Buz* . . . 4B **26**
Windmill Clo. *Buck* . . . 3E **28**
Windmill Hill Dri. *Ble* . . . 3F **21**
Windmill Hill Roundabout (Junct.) . . . **1F 21**
Windmill Path. *L Buz* . . . 4F **27**

Windsor Av. *L Buz* 4E **26**
Windsor Av. *Newp P* 3G **7**
Windsor St. *Ble* 3B **22**
Windsor St. *Wol* 1K **9**
Winfold La. *Tat* 1E **20**
Wingate Circ. *Wltn P* 5F **17**
Wingfield Gro. *Mdltn* 6F **13**
Wing Rd. *L Buz* 7A **26**
Winsford Hill. *Furz* 6H **15**
Winstanley La. *Shen L* 5F **15**
Winston Clo. *L Buz* 2F **27**
(in two parts)
Winterburn. *Hee* 3E **10**
WINTERHILL. 2G **15**
Winterhill Retail Pk. *Wint* 2G **15**
Winwood Clo. *Dean* 6B **8**
Wisewood Rd. *Wcrft* 5A **14**
Wishart Grn. *Old F* 4K **17**
Wisley Av. *Bdwl C* 5G **11**
Wistmans. *Furz* 5G **15**
Witan Ga. *Mil K* 6G **11**
Witan Gate W. *Mil K* 6G **11**
Witham Ct. *Ble* 1G **21**
Withington. *Brad* 3D **10**
Withycombe. *Furz* 6H **15**
Wittmills Oak. *Buck* 3D **28**
Woad La. *Gt Lin* 7C **6**
Woburn Av. *Wol* 2K **9**
Woburn Golf & Country Club, The. 3K **23**
Woburn La. *Asp G* 6F **19**
Woburn Pl. *L Buz* 2F **27**
(in two parts)
Woburn Rd. *H&R* 5F **25**
Woburn Rd. *L Bri* 4K **23**
Woburn Rd. *Wbrn S* 6D **18**
WOBURN SANDS. 5C **18**
WOBURN SANDS STATION. 4B **18**
Woburn Sands Rd. *Bow B* 7J **17**
Wodehouse Wlk. *Newp P* 2E **6**
Wolfscote La. *Em V* 6E **14**
Wolsey Gdns. *Bdwl* 4D **10**
Wolston Mdw. *Mdltn* 5E **12**

WOLVERTON. 1A **10**
WOLVERTON STATION. 1B **10**
WOLVERTON MILL. 2G **9**
WOLVERTON MILL EAST. 2H **9**
WOLVERTON MILL SOUTH. 2G **9**
Wolverton Rd. *Hav* 6F **5**
Wolverton Rd. *Stant* 7A **6**
Wolverton Rd. *Sto S* 3E **8**
Wolverton Rd. *Cast* 2C **4**
Wolverton Sports Club. 2A **10**
Woodall Clo. *Mdltn* 5C **12**
WOODHILL. .5B **14**
Woodhouse Ct. *Stant F* 2F **11**
Woodland Av. *L Buz* 1E **26**
Woodland Clo. *H&R* 5F **25**
Woodlands Clo. *Buck* 2C **28**
Woodlands Cres. *Buck* 2C **28**
Woodland Vw. *Wol* 3A **10**
Woodland Way. *Wbrn S* 6B **18**
Wood La. *Asp G* 6E **18**
Wood La. *Gt Lin* 2G **11**
(in three parts)
Woodley Headland. *Pear B* 2B **16**
Woodman Clo. *L Buz* 4G **27**
(in four parts)
Woodmans Clo. *Dean* 7B **8**
Woodruff Av. *Conn* 4G **11**
Woodrush Clo. *B'hll* 5A **16**
Woodside. *Asp G* 5E **18**
Woodside. *Sto S* 2F **9**
Woodside Ho. *Wbrn S* 6C **18**
Woodside Way. *L Buz* 5C **26**
Woodspring Ct. *Monk* 7E **12**
Woodstock Ct. *Brad* 1E **10**
Wood St. *New B* 1C **10**
Wood St. *Wbrn S* 5C **18**
Wood, The. *L Buz* 3F **27**
Woodward Pl. *Gt Hm* 7D **10**
Woolmans. *Ful S* 4H **9**
Woolrich Gdns. *Sto S* 3F **9**
WOOLSTONE. 5B **12**
Woolstone Roundabout (Junct.) 4C **12**

Worcester Clo. *Newp P* 3E **6**
Wordsworth Av. *Newp P* 2D **6**
Wordsworth Dri. *Ble* 3K **21**
Worrelle Av. *Mdltn* 5F **13**
Woughton Leisure Cen. 2J **15**
WOUGHTON ON THE GREEN. 1C **16**
WOUGHTON PARK. 3C **16**
Woughton Pk. .3D **16**
Wray Ct. *Em V* 7D **14**
Wren Clo. *Buck* 5E **28**
Wrens Pk. *Mdltn* 6F **13**
Wroxton Ct. *Wcrft* 7B **14**
Wye Clo. *Ble* 1H **21**
Wylie End. *Brad* 1D **10**
WYMBUSH. 6C **10**
Wymondham. *Monk* 7G **13**
Wyness Av. *L Bri* 5K **23**
Wyngates. *L Buz* 6D **26**
Wynyard Ct. *Oldb* 2H **15**

X

Xscape Ski, Leisure & Entertainment Cen.
. . . . .6J **11**

Y

Yalts Brow. *Em V* 7E **14**
Yardley Rd. *Cosg* 5A **4**
Yarrow Pl. *Conn* 4H **11**
Yeats Clo. *Newp P* 2D **6**
Yeomans Dri. *Blak* 7E **6**
(in two parts)
Yeomans Roundabout (Junct.) 7E **6**
Yew Tree Clo. *Newt L* 7F **21**
Yonder Slade. *Buck* 6D **28**
York Rd. *Sto S* 3E **8**
Youngs Ind. Est. *L Buz* 5J **27**

MILTON KEYNES ROAD MAP

REFERENCE

Motorway	M1
Primary Route	A421
A Road	A422
B Road	B4034
Horizontal Grid Road	H1
Vertical Grid Road	V1
Minor Road (Selected)	
Dual Carriageway	
Interchange Junction	

SCALE 1:70,000 (approx. 1 mile to 1 inch)

0 ½ 1 Kilometre

0 ½ 1 Mile